「話す力」と「聞く力」がビックリするほど伸びる！

新ゼロからスタート
シャドーイング

入門編

宮野　智靖
Miyano Tomoyasu

Jリサーチ出版

はじめに

　皆さんにまず質問です。この本のカバーに描かれているイラストは、なぜ可愛らしい羊なのでしょうか。
　すぐに分かりますか。「えっ？　な、な、なんで？」と首を傾げている人に、ヒントを1つ。**マザーグース童謡（Mother Goose Rhymes）の中に、Mary Had A Little Lamb（メリーさんの羊）という歌**がありますが、どんな内容の歌詞だったか覚えておられますか。
　これで分かりましたか。この歌、皆さんもきっと幼い頃から日本語あるいは英語で歌い、慣れ親しんできた歌だと思います。メリーさんの羊は、メリーさんの行く後をいつもちょこちょこついて歩いてくる可愛らしい子羊でしたよね。

　私の目には、この子羊のしぐさと本書『新ゼロからスタート　シャドーイング　入門編』が紹介するシャドーイング（shadowing）という学習法とが重なり合って見えるのです。シャドーイングとは文字通り、**聞こえてくる英語に対して、まるでshadow（影）のようにすぐ後から追いかけて口に出して同じように発音し、まねをする練習方法のこと**を言います。
　元来、同時通訳者を養成するための基礎訓練として用いられるものですが、皆さんのような一般の英語学習者にとっても効果抜群の学習法として注目されています。

耳から入ってくるネイティブの英語を聞いたまま忠実にまねて口に出していく練習ですから、英語の発音、ストレス、リズム、イントネーションを身につけるのに効果的です。さらに、正確に音を聞き取らないとシャドーイングできないわけですから、集中力を最大限に高めたリスニング訓練にもなります。

　一言で言えば、**シャドーイングはスピーキング力とリスニング力を同時に鍛えてくれる学習法**であり、しかもきわめて能動的な練習なのでモチベーションを高く維持しながら行える学習法であると言えるでしょう。

　これまで日本でもすでにシャドーイングに関する学習書はいくつか出版されているようですが、ほとんどはある程度英語に自信を持っている中級者・上級者を対象としたもので、取っ付きにくい感じを与えるものが多かったように思います。そこで、私は**入門者・初級者でも気軽にチャレンジできるシャドーイング学習書**の完成を目指し、本書を執筆しました。

　初めてシャドーイングにトライする時は誰でもうまく口が回らず難しいと感じるわけですが、本書のように簡単なものから徐々に難しいものへと段階的に練習を積み重ねていけば大丈夫です。誰にでもできるシンプルな学習法ですので、決してあきらめないでください。

　最も学習効果の高いと言われているシャドーイング訓練により、**皆さんのスピーキング力・リスニング力が飛躍的に向上すること**をお祈りいたします。

宮野　智靖

CONTENTS 目次

- はじめに ... 2
- シャドーイング、その驚異的な学習効果とは？ ... 6
- 1日たったの10分！ シャドーイングの練習法 ... 10
- 本書を終えた後の独習法 ... 13
- 本書の効果的な利用法 ... 14

第1部　単語シャドーイング ... 17

UNIT 1	数字 ... 18	UNIT 11	地名・言語名 ... 28
UNIT 2	果物・野菜・植物 ... 19	UNIT 12	文化・スポーツ ... 29
UNIT 3	動物① ... 20	UNIT 13	旅行・交通 ... 30
UNIT 4	動物② ... 21	UNIT 14	ビジネス① ... 31
UNIT 5	レストラン ... 22	UNIT 15	ビジネス② ... 32
UNIT 6	住宅 ... 23	UNIT 16	通信・コンピュータ ... 33
UNIT 7	健康・医療 ... 24	UNIT 17	政治 ... 34
UNIT 8	気象・環境 ... 25	UNIT 18	経済 ... 35
UNIT 9	宗教・歴史 ... 26	UNIT 19	教育 ... 36
UNIT 10	人名 ... 27	UNIT 20	日常生活 ... 37
			コラム1 ... 38

第2部　センテンスシャドーイング ... 39

UNIT 1	単純現在 ... 40	UNIT 8	疑問詞③ ... 54
UNIT 2	単純過去 ... 42	UNIT 9	It と There ... 56
UNIT 3	未来表現 ... 44	UNIT 10	受動態 ... 58
UNIT 4	現在完了 ... 46	UNIT 11	助動詞① ... 60
UNIT 5	進行形 ... 48	UNIT 12	助動詞② ... 62
UNIT 6	疑問詞① ... 50	UNIT 13	仮定法 ... 64
UNIT 7	疑問詞② ... 52	UNIT 14	関係詞① ... 66

UNIT 15	関係詞②	68
UNIT 16	分詞	70
UNIT 17	不定詞	72
UNIT 18	動名詞	74
UNIT 19	比較	76
UNIT 20	接続詞	78
	コラム 2	80

第3部 会話シャドーイング　81

UNIT 1	あいさつ	82
UNIT 2	友達同士の会話	86
UNIT 3	親子の会話	90
UNIT 4	見知らぬ人との会話	94
UNIT 5	キャンパスでの会話	98
UNIT 6	会社での会話	102
UNIT 7	ビジネスの会話	106
UNIT 8	旅行中の会話	110
UNIT 9	外食・買い物の会話	114
UNIT 10	電話での会話	118
	コラム 3	122

第4部 長文シャドーイング　123

(A) イソップ物語	UNIT 1	ブヨと雄牛	126
	UNIT 2	湖畔の雄ジカ	130
	UNIT 3	天文学者	134
(B) スピーチ	UNIT 4	新居完成祝いのパーティー	138
	UNIT 5	感謝祭おめでとう	140
	UNIT 6	ご結婚おめでとう	142
	UNIT 7	会社の創立記念パーティー	144
	UNIT 8	レセプションへの招待	146
(C) 体験談	UNIT 9	駅での驚くべき体験	148
	UNIT 10	心地よい音？ それとも不愉快な音？	154
		コラム 4	160

第5部 VOA生録英語シャドーイング　161

UNIT 1	アメリカ東海岸を襲った大雪	162
UNIT 2	高齢化する世界人口は未来の若者に難題を突きつける	168

第1部 単語シャドーイング

シャドーイング、その驚異的な学習効果とは？

元来、同時通訳者養成のための基礎訓練法ですが、一般の英語学習者のリスニング力、スピーキング力アップにも絶大な効果をもたらします。

　シャドーイングとは「まるで影（shadow）のごとく、聞こえてくる英語をすぐ後から追いかけて口に出して同じように発音し、まねするトレーニング方法」のことです。簡単に言うと、聞いたものをそっくりそのまま繰り返す、同時にというよりもむしろ**半歩遅れてついていく**というトレーニング方法です。

　シャドーイングは、もともと同時通訳者を養成するための基礎訓練として、主に通訳養成機関で用いられてきた訓練法ですが、今では中学、高校、大学の授業の中でも汎用されており、その効果を実感している英語教員は非常に多いようです。

　実は、シャドーイングはきわめて科学的なものであり、**脳生理学、認知言語学、神経言語学**の研究からもその効用は実証済みです。多くの驚くべき効果をもたらしてくれるトレーニング方法なのです。

　私自身も、短大・大学のクラスの中で**毎回約5分〜10分の短い時間**を割いて、学生に集中したシャドーイングの練習をさせています。学期の初めはどの学生も戸惑っているようですが、2、3カ月もするとずいぶんと自信を持ってスラスラとシャドーイングできるようになっています。もちろん個人差はありますが、皆が口をそろえて言うのが**「シャドーイングは楽しい、スピーキングにもリスニングにも役立つ」**という感想です。

　これは、もちろんシャドーイングを実践した人だけが味わえる醍醐味です。私はぜひ、皆さんにも成功した体験者になっていただきたいと切に願っています。では、シャドーイングには具体的にどのような効果があるのか、次に詳しく説明していきたいと思います。

❶英語の音感が身につく！

シャドーイングは、聞こえてくる英語をそっくりまねて声に出すトレーニングですから、英語の音がしっかりと身についていきます。ジャパニーズイングリッシュ独特の単調なリズムが身についてしまっている人も、シャドーイングの練習により、そのおかしなリズムから抜け出すことができるようになります。シャドーイングは、英語の発音（母音・子音）から、ストレス、リズム、イントネーション、ポーズまで全てをまねする練習なので、英語特有の音声現象（プロソディ）、つまり**ネイティブ特有の音感を身につけるのに非常に効果的**なのです。

❷口の筋肉がネイティブ筋になる！

シャドーイングは聞こえてくる音声と同じスピードで追いかけ復唱するため、使用する教材のレベルを徐々に上げていき、ネイティブの会話スピード、ニュースの読み上げスピードにも対応できるようになれば、あなたはもうネイティブの速度で英語を話せていることになるわけです。これってすごくないですか。シャドーイングの練習は、**英語を話すスピードを飛躍的に上げてくれる**のです。さらに、シャドーイングは実際に発音することで、口と舌のストレッチ、さらには**口の周りの筋肉を鍛える練習**にもなります。日頃日本語しか話していない人は、英語を話すために必要な筋肉を鍛える必要があるわけですね。

❸質の高いリスニング力がつく！

正確に音を聞き取らないとできないため、シャドーイングは**集中力と注意力を最大限に高めたリスニング訓練**にもなります。「英語なんてだいたい聞ければいいんじゃないの？」なんていう甘ちょろいリスニング訓練ではないわけですね。シャドーイングを通して日々、正確さ、完璧さを求める練習をし続ければ、誰でもやがて必ず質の高いリスニング力を身につけることができます。

❹英語脳になる！

英語と日本語の語順が異なることは今さら申し上げるまでもありませんが、シャドーイングは、聞こえてきた英語を語順通りに理解しながら、すべてを繰り返しまねる練習なので、皆さんは知らず知らずのうちに頭の中に**英語で思考する回路を作る**ことができます。英語を聞く際、もし後ろから前に戻りながら訳し理解するなんていう変な癖(くせ)がついているのであれば、それから脱することができるようになります。

❺語彙・例文をラクに暗記！

シャドーイングを行っている時には、特に単語・熟語を暗記しようとか、英文を覚えようとか意識しているわけでもないのに、不思議なことに、私たちはいろんなものを**無意識に吸収している**ことに気づかされます。シャドーイングの副産物として、**単語・熟語、例文などを自然と暗記している**ことが多々あるわけですね。さらには、文法力・構文力さえも強化されていきます。

以上、シャドーイングの実際的効果を挙げましたが、これらはほんの一例に過ぎず、その有効性は枚挙にいとまがありません。このように**シャドーイングはスピーキング力とリスニング力を同時に鍛えてくれる学習法であり、「総合的な英語力」を磨くのに最適な学習法**だと言えます。

さあ、皆さん、シャドーイングの驚異的な効果を信じ、大いに期待して、ゼロからシャドーイングの練習をスタートしましょう。この本を終える頃にはあなたの英語はずいぶん上達しているはずです。根気よく頑張りましょう！

1日たったの10分！
シャドーイングの練習法

⊕ 手順とポイント

　まず最低限の目標として、**シャドーイングの練習は毎日必ず10分以上頑張ってほしい**と思います。最初慣れないうちは誰でも思ったように口が回らず、気落ちすることもあるかもしれません。

　あまりにも難しいと思われる人は、英語のシャドーイングを行う前に、まず日本語でシャドーイングをやってみるとよいでしょう。素材は、何でもOKです。目の前にいる友達が言うことをまねてシャドーイングしてもいいでしょうし、兄弟姉妹でもいいですね。ただし、けんかにならないように注意してくださいね（笑）。きちんと許可を取ってシャドーイングするのが礼儀です。さらに、ラジオ・テレビから聞こえてくるアナウンサーの声も格好の教材となります。日本語のシャドーイングに慣れた人は、さあ次は英語のシャドーイングにチャレンジです。

　本書の各UNITの練習に入る前に、どのように音声を追いかければよいのか、シャドーイングの実際的な具体例を次のページでいくつかご紹介しておきましょう。さらに、**AR動画でもモデルさんが実演**していますので参考にしてください。

映像で練習方法がわかるよ

[AR] 動画のご利用方法

❶ パソコンや携帯端末で右下のQRコードを読み取り、無料アプリ「COCOAR2」をインストールしてください。

❷ 「COCOAR2」をたちあげ、左の「羊のイラスト全体」をスキャン。映像がスタートします。

↑このイラストをスマホでスキャン

＊この例の前後の英語ナレーションについては P.174 ～ 175 を参照してください。

❶ (CD) 【CDの音声です】 roof, chimney, porch, garage, driveway

（あなた） ……… roof, chimney, porch, garage, driveway

【CDに少し遅れて言います】

❷ (CD) catalog, brochure, leaflet, price list, free sample

（あなた） ……… catalog, brochure, leaflet, price list, free sample

❸ (CD) Will we know the result of the test in a few weeks?

（あなた） ……… Will we know the result of the test in a few weeks?

❹ (CD) Today's technology has made it possible for people to work from virtually anywhere.

（あなた） ……… Today's technology has made it possible for people to work from virtually anywhere.

❺ (CD) Please feel free to ask me anything. I'll be delighted to be of some help to you.

（あなた） ……… Please feel free to ask me anything. I'll be delighted to be of some help to you.

　要領がつかめましたか。皆さんはこの女性と同じようにシャドーイングの練習をするわけです。

　それでは、本書の各 UNIT をどのように練習すればよいか、以下に具体的に説明します。

⊕ シャドーイング 6 つのコツ

❶ 最初は、テキストを見ないで付属の CD を聞きながら、その音声を追いかけるように声に出してみましょう。

② もう一度、テキストを見ないでCDを聞きながら、シャドーイングを行いましょう。

③ 次はテキストを見ながら、CDを真剣に聞いてみてください。ここではシャドーイングは行いません。ネイティブスピーカーが英文をどのように読んでいるか分析しながら、CDを聞くことだけに専念してください。強く読まれている部分やポーズの置かれている部分には鉛筆でチェックを入れながら聞くとよいでしょう。

④ 今度はCDを聞きながら、テキストを声に出して読んでください。一度でスラスラ読めない場合は、何度練習しても構いません。

⑤ ここで、再度シャドーイングの練習を行います。テキストは見ないで、CDから聞こえてくる音声だけに全神経を集中させ、シャドーイングを行ってください。この段階で完璧にシャドーイングできた人もいれば、何度も練習しなければ上手くシャドーイングができない人もいるはずです。

⑥ 本書の各UNITの練習用英文を完全にシャドーイングできるようになるまでは、次のUNITに移らないでください。つまり、テキストを見なくても各UNITを完全にシャドーイングできるようになるまでは、何度も練習を繰り返すことが最も重要なのです。

　最初はうまくいかず、ため息ばかりの人もおられるかもしれません。しかし、毎日コツコツと練習を積み重ねてください。必ずその成果が現れる日が来ますから。

＊シャドーイングに慣れていないうちは、ヘッドホンやイヤホンを使用した方が、自分の声が邪魔にならずやりやすいと思います。練習を重ねることによって、やがてヘッドホンは不要になり、車の運転中に英語教材のCDを聞きながらシャドーイング、ソファにゆったりと腰掛けテレビの英語ニュースを見ながらシャドーイング、さらには私が学生時代に行っていた必殺技ですが、授業中ネイティブの先生の話を聞きながら一人ブツブツとシャドーイング（失礼だったかな？）も気楽にできるようになります。

本書を終えた後の独習法

シャドーイングは、英語の音声さえあれば基本的に何でも練習の素材になり得ます。その中でも私が皆さんに特にお薦めしたい教材は以下の通りです。

(1) 市販教材

初級者の場合は、NHKのラジオ・テレビ講座の中から自分のレベル・興味・ニーズに合ったものを選んで、シャドーイングの練習をするとよいでしょう。NHKの講座はそれぞれテキストが販売されていますので、スクリプトもその中に入っています。中級者の場合は、アルクの『The English Journal』、上級者の場合は、朝日出版社の『CNN ENGLISH EXPRESS』を推薦いたします。

(2) 英語放送

毎日アメリカから放送されるVOAニュースという英語放送があります。日本では短波放送、あるいはインターネット放送(http://www.voanews.com/)で聞くことができます。これは、ニュースの中でも最も聞きやすく、スクリプトもインターネットで入手できるので、シャドーイングには格好の教材となります。本書の第5部でも、このVOAニュースを素材に用いています。さらには、世界のラジオ放送をインターネットで聞ける(http://www.radio-locator.com/)もうまく利用できそうです。

(3) ニュース番組

ラジオ・テレビのほか、今はインターネットでもあらゆる種類のニュース番組を聞くことができます。シャドーイングの練習には、できるだけスクリプトのついているものがいいですね。CNN (http://edition.cnn.com/)、BBC (http://www.bbc.co.uk/)、NHK国際放送 Radio Japan (http://www.nhk.or.jp/)、NPR (http://www.npr.org/)、Reuters (http://www.reuters.com/)は特にイチオシです。

皆さんの中には、映画やドラマを使ってシャドーイングをしたいという人もおられるかもしれません。上級者の場合は、もちろんそれでもよいのですが、映画は俳優の声を必ずしもまねできるシーンばかりではないので、どうしてもシャドーイングできる箇所は限られてしまいます。しかも、必ずしもはっきりと聞こえる台詞ばかりではありません。それでも、映画という究極の生教材に挑戦したい人は、ぜひ映画のシャドーイングにも果敢にチャレンジしてください。

以上、シャドーイングのお薦め教材を紹介しましたが、やはり何と言っても、一番大切なのは、**あなた自身が最も気に入ったものを教材に選ぶ**ということです。あなたがつまらないと思うような教材では、最初からやる気が起きませんよね。どうせやるのなら、興味を持てる教材、楽しいと感じられる教材を使用してください。

本書の効果的な利用法

本書は、シャドーイングによって、英語のリスニング力とスピーキング力を同時に鍛える1冊です。第1部から第5部まで、単語から長文へと少しずつステップアップしながら進められるようになっています。1日最低10分を学習にあてるようにしましょう。

第1部 ［単語シャドーイング］

英単語をテーマ別に20のUNITに分類しました。各UNITには5つの連続する単語が5種類用意されています。P.10～P.11のシャドーイング練習の手順とポイントに従い、シャドーイングのウォーミングアップを行いましょう。

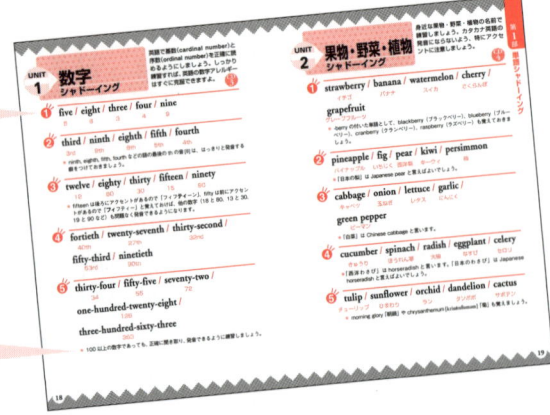

「単語」
CDの音声に少し遅れて5つの単語を連続して言ってみましょう。

「＊」
単語の発音上の注意点や言葉の背景などを説明します。

第2部 [センテンスシャドーイング]

　短い文をシャドーイングしてみましょう。文法項目別に20のUNITを用意しました。各英文の下に文法のポイントと語彙が説明されているので、参考にしてください。アクセントやイントネーションに注意して、ネイティブの発音をできるだけ忠実にまねてみましょう。

「英文」
CDの音声に少し遅れて英文を言ってみましょう。

「＊」
文法の基本的な知識や聞き取りのポイントなどが身につきます。

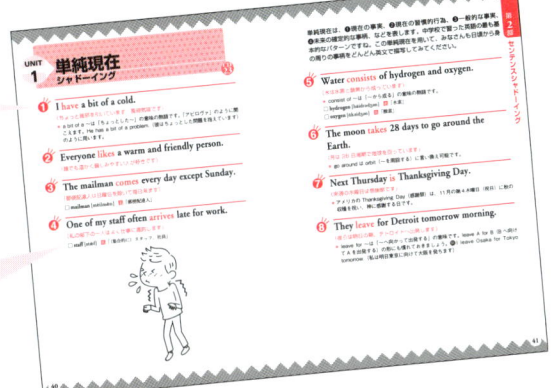

第3部 [会話シャドーイング]

　2人の会話を聞きながら、第1部、第2部より速いテンポで、リズミカルなシャドーイングに挑戦してみましょう。「あいさつ」の基本から、日常生活や旅行、ビジネスなど様々な場面で、そのまま使える表現をたくさん用意しました。最終的にはテキストを見ずにスラスラ言えるようになるまで、何度も繰り返し練習しましょう。

「会話」
AとBの対話です。「A→B」または「A→B→A」と会話が進みます。

「＊」
単語・熟語や慣用表現などを説明しています。

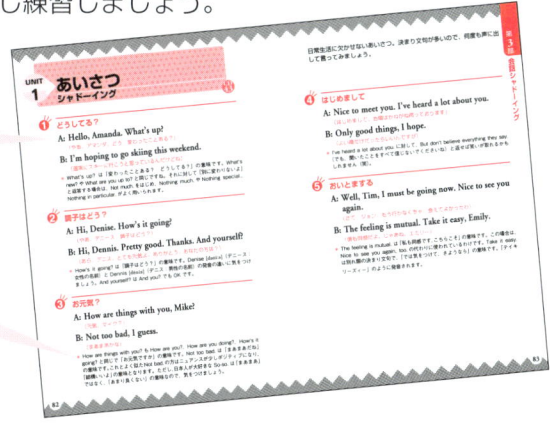

第4部 ［長文シャドーイング］

　さまざまな長文のシャドーイングを練習します。イソップ物語3話、スピーチ5つ、体験談2つで構成されています。はじめはうまくシャドーイングできないかもしれません。時々CDを止めながらでも構いませんので、根気強く練習を続けましょう。

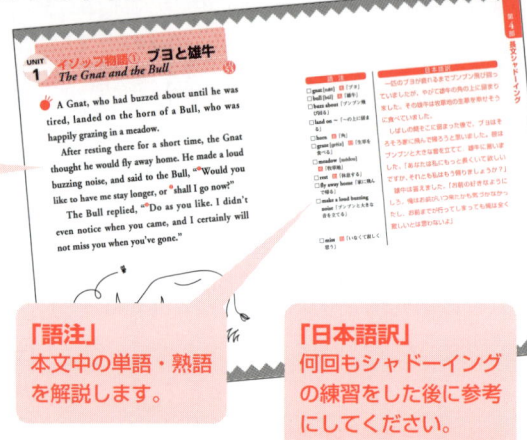

「本文」
はじめは英文を見ないでCDを何度も聞きながら、シャドーイングしてみましょう。

「語注」
本文中の単語・熟語を解説します。

「日本語訳」
何回もシャドーイングの練習をした後に参考にしてください。

第5部 ［VOA 生録英語シャドーイング］

　いよいよ本書の仕上げの練習です。VOAのニュース番組を2つ用意しました。

　生の英語ですから、スピードも速く、ついていくのはかなり難しいかもしれませんが、めげずにトライしてください。最終的にはCDを止めずにがんばってみましょう。

CDマーク例

CD23 CDをしっかりと活用しましょう

シャドーイングの練習には必ず付属CDを利用してください。ネイティブの音声の後について話す練習を繰り返しましょう。第1部から第4部までは、初級者の人も練習しやすいように、ナチュラルスピードよりも少し遅めの速度で吹き込まれています。

第1部 単語シャドーイング

まず手始めに、5つの連続する単語を聞きながら、
シャドーイングのウォーミングアップを行いましょう。
UNITごとにテーマ別になっています。
難しい練習ではないので、自信を持ってチャレンジしましょう。

UNIT 1 数字 シャドーイング

英語で基数(cardinal number)と序数(ordinal number)を正確に読めるようにしましょう。しっかり練習すれば、英語の数字アレルギーはすぐに克服できますよ。

CD 3

five / eight / three / four / nine
5　　8　　3　　4　　9

third / ninth / eighth / fifth / fourth
3rd　　9th　　8th　　5th　　4th

＊ ninth, eighth, fifth, fourth などの語の最後の th の音 [θ] は、はっきりと発音する癖をつけておきましょう。

twelve / eighty / thirty / fifteen / ninety
12　　80　　30　　15　　90

＊ fifteen は後ろにアクセントがあるので「フィフ**ティー**ン」、fifty は前にアクセントがあるので「**フィ**フティー」と覚えておけば、他の数字（18 と 80、13 と 30、19 と 90 など）も問題なく発音できるようになります。

fortieth / twenty-seventh / thirty-second /
40th　　　　27th　　　　　32nd

fifty-third / ninetieth
53rd　　　　90th

thirty-four / fifty-five / seventy-two /
34　　　　55　　　　72

one-hundred-twenty-eight /
128

three-hundred-sixty-three
363

＊ 100 以上の数字であっても、正確に聞き取り、発音できるように練習しましょう。

UNIT 2 **果物・野菜・植物 シャドーイング**

身近な果物・野菜・植物の名前で練習しましょう。カタカナ英語の発音にならないよう、特にアクセントに注意しましょう。

 CD 4

第1部 単語シャドーイング

❶ **strawberry / banana / watermelon / cherry /**
　　イチゴ　　　バナナ　　　スイカ　　　さくらんぼ

grapefruit
グレープフルーツ

＊ -berry の付いた単語として、blackberry（ブラックベリー）、blueberry（ブルーベリー）、cranberry（クランベリー）、raspberry（ラズベリー）も覚えておきましょう。

❷ **pineapple / fig / pear / kiwi / persimmon**
　　パイナップル　いちじく　西洋梨　キーウィ　　柿

＊「日本の梨」は Japanese pear と言えばよいでしょう。

❸ **cabbage / onion / lettuce / garlic /**
　　キャベツ　　玉ねぎ　　レタス　　にんにく

green pepper
　　ピーマン

＊「白菜」は Chinese cabbage と言います。

 ❹ **cucumber / spinach / radish / eggplant / celery**
　　きゅうり　　ほうれん草　大根　　なすび　　セロリ

＊「西洋わさび」は horseradish と言います。「日本のわさび」は Japanese horseradish と言えばよいでしょう。

 ❺ **tulip / sunflower / orchid / dandelion / cactus**
　　チューリップ　ひまわり　　ラン　　タンポポ　　サボテン

＊ morning glory「朝顔」や chrysanthemum [krisǽnθəməm]「菊」も覚えましょう。

UNIT 3  動物① (哺乳類・爬虫類・両生類) シャドーイング

英語では、哺乳類は **mammal**、爬虫類は **reptile**、両生類は **amphibian** と言います。動物好きの人なら、ここに出てくる単語は全部覚えておかないとまずいですよ。

CD 5

 lion / fox / elephant / sheep / deer

ライオン　きつね　　象　　　　羊　　　鹿

* sheep と deer は単複同形の語です。

 goat / wolf / bear / camel / bat

ヤギ　　オオカミ　熊　　ラクダ　コウモリ

*「パンダ」は panda (bear)、「コアラ」は koala (bear) [kouá:lə]、「シロクマ」は polar bear と言います。

 gorilla / giraffe / hippo / cheetah / squirrel

ゴリラ　　キリン　　かば　　チータ　　リス

*「チンパンジー」は chimpanzee [tʃìmpænzí:]、「オランウータン」は orangutan [ɔːrǽŋutæn] と言います。

 snake / alligator / tortoise / lizard / gecko

ヘビ　　　ワニ　　　亀　　　トカゲ　　ヤモリ

* alligator [ǽligèitər]（アリゲーター）は「アメリカ産のワニ」、crocodile [krɑ́kədàil]（クロコダイル）は「アフリカ、アジア産のワニ」を言います。tortoise [tɔ́:rtəs] は「陸生のカメ」です。「ウミガメ」は turtle [tə́:rtl] と言います。

 frog / toad / bullfrog / salamander / newt

カエル　ヒキガエル　ウシガエル　サンショウウオ　イモリ

* ❹の gecko [gékou]（ヤモリ）は爬虫類、newt [njú:t]（イモリ）は両生類。頭が混乱しそうですよね。

UNIT 4 動物② (鳥類・魚介類・昆虫) シャドーイング

鳥や魚、昆虫の名前を聞いて言ってみましょう。知らない単語があっても大丈夫。練習しながら覚えるようにしましょう。

第1部 単語シャドーイング

❶ octopus / shark / salmon / crab / bonito
　　たこ　　サメ　　　鮭　　　カニ　　かつお

＊「イクラ」（ロシア語）は、サーモンの卵（roe）なので、salmon roe [sǽmənròu] と言えば通じます。

❷ cod / lobster / sardine / eel / tuna
　　たら　伊勢エビ　いわし　鰻　マグロ

＊「鰻」は eel ですが、「穴子」は sea eel や conger [káŋgər] と言います。

❸ scallop / shrimp / flounder / squid / jellyfish
　ホタテ貝　小エビ　　ひらめ　　イカ　　クラゲ

＊ shrimp は「小エビ」ですが、「車エビ」のような中型のエビは prawn [prɔ́ːn] と言います。

❹ crow / owl / swallow / crane / turkey
　カラス　ふくろう　つばめ　　鶴　　七面鳥

＊ swallow [swálou]（つばめ）と sparrow [spǽrou]（すずめ）を混同しないようにしましょう。

❺ butterfly / dragonfly / ladybug / cicada /
　　蝶　　　とんぼ　　てんとう虫　　セミ

grasshopper
　バッタ

＊ ladybug は米語です。イギリスでは ladybird と言います。「甲虫」のことを beetle と言いますが、特に、カブトムシ（rhinoceros beetle または unicorn beetle）とクワガタムシ（stag beetle）はセットで覚えておきましょう。

UNIT 5 レストラン（料理・食事） シャドーイング

英語のメニューを見て、あせったことはありませんか？ このユニットにはレストランで注文をするときに便利な単語が満載です。正確に発音できるようにしましょう。CD 7

❶ appetizer / soup / salad / entrée / side dish
前菜　　スープ　　サラダ　　主菜　　　副菜

* appetizer [ǽpətàizər] は starter と、entrée [á:ntrei] は main dish と言うこともあります。

❷ beverage / coffee / soft drink / beer / wine
飲み物　　コーヒー　　清涼飲料　　ビール　　ワイン

* soft drink とはコーラ、7UP などの「清涼飲料」のことを言います。反対に、hard drink と言えば、「強い酒」のことを指します。

❸ steak / fried rice / French fries / hamburger /
ステーキ　　焼き飯　　　フライドポテト　　ハンバーガー

dessert
デザート

* 「フライドポテト」はアメリカでは French fries と言いますが、イギリスでは chips と言います。fish and chips はイギリスの代表的料理ですよね。

❹ salty / sweet / spicy / sour / greasy
塩辛い　　甘い　　ピリッと辛い　　酸っぱい　　油っこい

* spicy（ピリッと辛い）は hot とも言います。greasy [grí:si/-zi]（脂（あぶら）っこい）は oily とも言います。

❺ reserve / order / recommend / refill /
予約する　　注文する　　　勧める　　　（飲み物の）おかわりを注ぐ

check
勘定書

UNIT 6 住宅（家・インテリア）シャドーイング

家に関する単語は、なじみのものもあって練習しやすいでしょう。アパート、エアコンなどは和製英語なので、正確なスペルと発音を身につけましょう。 CD 8

apartment / condominium / mansion /
アパート　　分譲マンション　　　大邸宅

real estate / mortgage
不動産　　住宅ローン

＊英語の mansion は、20 くらいの部屋を有するような個人所有の「大邸宅」のことを言います。日本語の「マンション」とは大違いですね。condominium は略して、condo [kάndou] とも言います。

driveway / garage / lawn / yard / balcony
ドライブウェイ　車庫　　芝生　　中庭　　バルコニー

＊driveway とは、一般車道から自宅の車庫に通じる「私設道」のことです。lawn（芝生）を刈る「芝刈り機」は、lawn mower [lɔ́ːn mòuər] と言います。

living room / bathroom / dining room /
居間　　　　お手洗い／浴室　　ダイニングルーム

bedroom / study
寝室　　書斎

furniture / couch / bookshelf / rug / curtain
家具　　ソファ　　本棚　　じゅうたん　カーテン

＊couch を sofa [sóufə]、curtain を drapes [dréips] とも言います。

refrigerator / air conditioner /
冷蔵庫　　　　　エアコン

microwave oven / washing machine /
電子レンジ　　　　洗濯機

vacuum cleaner
掃除機

＊refrigerator, air conditioner, microwave oven は、日常生活ではしばしば簡単に fridge, AC, microwave と呼ばれています。

UNIT 7 健康・医療 シャドーイング

病院に行って、自分の病気やけがの症状を英語で言えますか？ お医者さんの説明がわかりますか？ 身体の部位や診察・治療に関する単語で練習しましょう。

 shoulder / arm / knee / elbow / thigh
肩　　腕　　ひざ　　ひじ　　太もも

* thigh [θái] の発音に気をつけましょう。

 brain / heart / liver / stomach / kidney
脳　　心臓　　肝臓　　胃　　腎臓

 cold / fever / cough / flu / diarrhea
風邪　　熱　　せき　インフルエンザ　下痢

* flu [flú:] は influenza の短縮語です。「下痢をしている」には、have diarrhea [dàiərí:ə] の他、have loose bowels [báuəlz] や have the runs もよく用いられます。

 patient / nurse / doctor / dentist / pharmacist
患者　　看護師　　医師　　歯科医　　薬剤師

* physician [fizíʃən]（内科医）や surgeon [sə́:rdʒən]（外科医）も覚えておきましょう。

 checkup / shot / prescription / X-ray /
健康診断　　注射　　処方箋　　レントゲン

surgery
手術

* health [medical] checkup（健康診断）は、簡単に checkup と言います。「レントゲン」は、X線を発見したドイツ人物理学者（Wilhelm Konrad Roentgen）の名前です。

UNIT 8 気象・環境 シャドーイング

天気予報、地震情報などには身近な重要語がたくさん使われます。少し長い単語はアクセントの位置に気をつけて言ってみましょう。

❶ sunny / rainy / cloudy / windy / foggy
晴れた　雨降りの　曇った　風の強い　霧の深い

❷ temperature / humidity / thunderstorm /
温度　　　　湿度　　　雷雨

weather forecast / warning
気象予報　　　　警報

＊「雷鳴」は thunder [θʌ́ndər]、「稲光」は lightning [láitniŋ] と言います。

❸ climate / continent / desert / volcano /
気候　　　大陸　　　砂漠　　火山

earthquake
地震

＊ desert [dézərt]（砂漠）と dessert [dizə́ːrt]（デザート）の発音の違いに気をつけましょう。

❹ environment / ecosystem / protect /
環境　　　　　生態系　　　保護する

conserve / recycle
保全する　再利用する

＊ ecology [ikálədʒi]（生態学）も覚えておきましょう。

❺ atmosphere / pollution / emission /
大気　　　　　汚染　　　　排出

acid rain / ozone layer
酸性雨　　　オゾン層

＊ carbon dioxide [káːrbən daiákisaid]（二酸化炭素、炭酸ガス）も覚えておきましょう。

UNIT 9 宗教・歴史
シャドーイング

カタカナになっている単語はスペルを確認しておきましょう。母音、子音、アクセントに注意して、練習しましょう。

Christianity / Judaism / Islam / Buddhism /
キリスト教　　ユダヤ教　　イスラム教　　仏教

Hinduism
ヒンズー教

Christmas / Easter / Sabbath / Messiah /
クリスマス　　イースター　　安息日　　メシア

Jesus Christ
イエス・キリスト

＊現在、キリスト教の Sabbath [sǽbəθ]（安息日）は、日曜日となっています。Messiah [misáiə] は「救世主」の意味で、Savior [séiviər] や Christ [kráist] と同じ意味を表します。

church / gospel / choir / baptism / heaven
教会　　福音　　聖歌隊　　洗礼　　天国

＊アメリカの黒人霊歌をルーツに持つ gospel music（ゴスペル音楽）は、神への賛美と共に、キリストの福音を伝えるための歌として誕生したものです。

factory / invention / industry /
工場　　発明　　産業

steam engine / mass production
蒸気エンジン　　大量生産

＊これら5つの語は、イギリスの産業革命（the Industrial Revolution）のキーワードです。

settler / Puritan / persecution / liberty /
移住者　　清教徒　　迫害　　自由

colony　＊これら5つの語は、初期アメリカ史（early American history）
植民地　　のキーワードです。

UNIT 10 人名シャドーイング

ジョンさん？ ジョーンさん？ 聞き間違えると別人になってしまいます。母音と子音をきちんと聞き分けられるようにしましょう。

① James / John / Robert / Michael / William
ジェイムズ　ジョン　ロバート　マイケル　ウィリアム

＊これらの5つはこの順番で、アメリカで最も多い男性のファーストネームです。John [dʒán]（ジョン）と Joan [dʒóun]（ジョーン：女性名）、Michael [máikəl]（マイケル）と Michelle [miʃél]（ミッシェル：女性名）の区別ができるようにしておきましょう。

② Mary / Patricia / Linda / Barbara / Elizabeth
メアリー　パトリシア　リンダ　バーバラ　エリザベス

＊これらの5つはこの順番で、アメリカで最も多い女性のファーストネームです。Elizabeth [ilízəbəθ] はアクセントに気をつけましょう。

③ Mr. Smith / Mr. Johnson / Mr. Williams /
スミスさん　ジョンソンさん　ウィリアムズさん

Mr. Jones / Mr. Brown
ジョウンズさん　ブラウンさん

＊これらの5つはこの順番で、アメリカで最も多いファミリーネームです。

④ Mrs. Miller / Mrs. Wilson / Miss Moore /
ミラーさん　ウィルソンさん　ムーアさん

Miss Taylor / Ms. Anderson
テイラーさん　アンダーソンさん

＊これらの5つはこの順番で、アメリカで最も多いファミリーネームの6位から10位です。Mrs. は既婚者に、Miss は未婚者に用いられますが、Ms. は既婚・未婚に関わらず女性に対する敬称として用いられます。

⑤ Mrs. Jennifer Jackson / Mr. David Thomas / Miss Maria White /
ジェニファー・ジャクソンさん　デイヴィッド・トーマスさん　マリア・ホワイトさん

Mr. Richard Harris / Ms. Susan Martin
リチャード・ハリスさん　スーザン・マーティンさん

＊最後は〈敬称＋フルネーム〉の5連発でした。

UNIT 11 地名・言語名 シャドーイング

知っていても、英語で発音されると意外と分からないのが地名。カタカナ英語の発音にならないよう、アクセントにも注意して練習しましょう。

 India / Jamaica / Mongolia / New Zealand / Ireland
インド　　ジャマイカ　　モンゴル　　ニュージーランド　　アイルランド
＊ Jamaica [dʒəméikə] と Mongolia [mɑŋɡóuliə] の発音に気をつけましょう。

 Swedish / Arabic / Hebrew / Dutch / Portuguese
スウェーデン語　アラビア語　ヘブライ語　オランダ語　ポルトガル語
＊ Hebrew [híːbruː] の発音に気をつけましょう。

 Pennsylvania / Colorado / Minnesota / Arkansas / North Carolina
ペンシルバニア州　コロラド州　ミネソタ州　アーカンソー州　ノースカロライナ州
＊すべてアメリカの州名です。Arkansas [ɑ́ːrkənsɔ̀ː] の発音に気をつけましょう。

 Seattle / Atlanta / Philadelphia / Chicago / San Diego
シアトル　アトランタ　フィラデルフィア　シカゴ　サンディエゴ
＊すべてアメリカの都市名です。

 Hudson River / Charles River / Mississippi River / Columbia River / Potomac River
ハドソン川　チャールズ川　ミシシッピー川　コロンビア川　ポトマック川
＊すべてアメリカの河川です。Mississippi River は世界三大河川の一つであり、アメリカ合衆国で最も長い川です。

UNIT 12 文化・スポーツ シャドーイング

文化・スポーツに関する単語で練習しましょう。どれも旅行や生活でよく使う言葉ばかりなので、覚えておいて損はないですよ。

 CD14

❶ painting / replica / sculpture / portrait /
絵画　　　レプリカ　　　彫刻　　　　肖像画

masterpiece
傑作

＊ replica [réplikə] のアクセントに気をつけましょう。painter（画家）も覚えておきましょう。

❷ orchestra / conductor / composer /
オーケストラ　　　指揮者　　　　作曲家

classical music / musical instrument
クラシック音楽　　　　　楽器

＊ orchestra [ɔ́ːrkəstrə] のアクセントに気をつけましょう。「クラシック音楽」は classic music とは言いません。

❸ author / novel / biography / literature / poetry
著者　　　小説　　　伝記　　　　文学　　　　詩

＊ autobiography [ɔ̀ːtoubaiágrəfi]（自叙伝）も覚えておきましょう。

❹ pastime / movie / soap opera / chess / mahjong
娯楽　　　映画　　　昼メロ　　　チェス　　　麻雀

＊ かつて番組のスポンサーに石鹸会社がつくことが多かったことから、アメリカで昼間放送される連続テレビドラマは、soap opera（略して soap や soaper とも言う）と呼ばれます。

❺ soccer / volleyball / ice hockey / marathon / cricket
サッカー　　バレーボール　アイスホッケー　マラソン　　クリケット

＊ soccer は米語です。イギリスでは football と言います。しかし、アメリカでは football と言えば、アメリカンフットボールです。こんな違いが面白いですね。volleyball [válibɔ̀ːl] と ballet [bǽlei]（バレエ）の発音の違いに気をつけましょう。

UNIT 13 旅行・交通
シャドーイング

空港や乗り物、ホテルに関する単語は旅行で使う機会も多いことでしょう。快適な旅をするためにもぜひ覚えておきたいものです。

① boarding pass / customs / immigration officer /
　　搭乗券　　　　税関　　　　入国審査官

duty-free shop / baggage claim
　免税店　　　　手荷物受取所

＊ baggage claim (area) で必要な「手荷物引換証」は、baggage claim tag と言います。

② passenger / crew / refreshments / aisle seat / jet lag
　　乗客　　　乗務員　　軽食　　　通路側の席　　時差ボケ

＊「窓側の席」は window seat と言います。

③ reservation / front desk / concierge /
　　予約　　　　フロント　　コンシェルジェ

valuables / wake-up call
　貴重品　　モーニングコール

＊ concierge [kὰnsiɛ́ərʒ]（コンシェルジェ）とは、ホテルの「接客サービス係」のことです。valuables（貴重品）を保管することのできる貸金庫は、safe-deposit box または safety-deposit box と言います。

④ sightseeing spot / souvenir / travel voucher /
　　観光名所　　　　土産　　　旅行用クーポン券

museum / aquarium
　博物館　　水族館

＊ voucher [váutʃər]（クーポン券、割引券）は、gift voucher（ギフト券）や hotel voucher（ホテル宿泊券）のように用います。

⑤ vehicle / steering wheel / rearview mirror /
　　車両　　　ハンドル　　　　バックミラー

freeway / destination
　高速道路　　目的地

＊「バックミラー」は back mirror（和製英語）ではなく、rearview mirror [ríərvjuːmírər] と言います。

UNIT 14 ビジネス① シャドーイング

あなたはどんな会社のどんな役職に就いていますか？ 自分の職業や役職なども英語で言えるように練習しておきましょう。

❶ accountant / lawyer / architect / plumber /
会計士　　　弁護士　　　建築家　　　配管工

mechanic
機械工

* mechanic [məkǽnik] は、car mechanic（自動車修理工）、engine mechanic（エンジン整備工）のように用います。

❷ chairman / president / director / manager /
会長　　　　社長　　　　取締役　　　部長

supervisor
主任

* supervisor [súːpərvàizər] とは「主任、監督者、上司」のことです。「部下」は subordinate [səbɔ́ːrdənət] と言います。

❸ headquarters / branch / subsidiary /
本社　　　　　支社　　　　子会社

affiliate / joint venture
関連会社　　合弁会社

*「親会社」は parent company と言います。

❹ finance / marketing / personnel /
財務　　　マーケティング　　人事

advertising / accounting
広告　　　　会計

* これらの他にも、会社内の部署名を英語で言えるようにしておきましょう。

❺ applicant / job offer / employ / résumé / interview
応募者　　　求人　　　雇用する　　履歴書　　　面接

* applicant = candidate [kǽndidèit]（応募者、志願者）と覚えておきましょう。

UNIT 15 ビジネス② シャドーイング

少し難しい単語があるかもしれませんが、心配しなくても大丈夫です。発音に注意して何度も口に出して言ってみましょう。

❶ document / stapler / shredder / brochure / photocopier

文書　ホッチキス　シュレッダー　パンフレット　コピー機

* stapler [stéiplər]（ホッチキス）は、アメリカ人の Benjamin Hotchkiss（ベンジャミン・ホッチキス）が発明しました。「コピー機」は photocopier [fóutoukàpiər] の他、copier や copy machine とも言います。

❷ proposal / agenda / outline / handout / presentation

提案　議題　概要　配布資料　プレゼン

* the minutes（議事録）も覚えておきましょう。

❸ contract / signature / expire / fulfill / breach

契約　著名　満了する　履行する　違反する

❹ profit / sales / budget / quarter / fiscal year

利益　売り上げ　予算　四半期　会計年度

* gross profit（粗利益）と net profit（純利益）も覚えておきましょう。

❺ paycheck / minimum wage / pay raise / pension / fringe benefits

給与　最低賃金　昇給　年金　付加給付

* paycheck は元来「給料支払小切手」の意味でしたが、今では「給与」自体をも意味します。例 monthly paycheck（月給）

UNIT 16 通信・コンピュータ シャドーイング

通信・コンピュータ用語はビジネスはもとより、日常生活でもよく使われますね。カタカナ英語の発音にならないように注意して言ってみましょう。

CD 18

reply / forward / attach / subject / text message
返信する　転送する　添付する　件名　テキスト・メッセージ

＊「添付ファイル」は attached file や attachment と言います。text message とは「携帯メール」のことです。

install / paste / delete / retrieve / upgrade
インストールする　ペーストする　削除する　検索する　アップグレードする

＊ paste [péist] は、cut and paste ～（～をカット＆ペーストする）や copy and paste ～（～をコピー＆ペーストする）の形でよく用いられます。

blog / website / browse / download /
ブログ　ウェブサイト　閲覧する　ダウンロードする

search engine
検索エンジン

＊ blog は weblog の略形です。blog を公開する人は blogger と呼ばれます。

security / virus / spam / authorize / censorship
セキュリティー　ウイルス　迷惑メール　許可する　検閲

＊ virus [váiərəs] の発音に気をつけましょう。

subscriber / mobile phone / fiber optics /
加入者　携帯電話　光ファイバー

e-commerce / dot-com
電子商取引　ドットコム企業

＊「携帯電話」は mobile phone の他、cell-phone や cellular phone とも言います。e-commerce は electronic commerce（電子商取引）の略形です。dot-com（ドットコム企業）とは、インターネット関連企業のことを言います。

UNIT 17 政治 シャドーイング

新聞などによく出てくる政治・外交の基本語です。しっかり練習しておくと、英語ニュースを見るのがきっと楽しくなりますよ。

 CD 19

❶ government / politician / prime minister /
　　政府　　　　政治家　　　　首相

governor / mayor
　知事　　　市長

❷ democracy / reform / constitution / bill / pass
　　民主主義　　改革　　　憲法　　　　法案　可決する

＊ constitution [kɑ̀nstətjúːʃən]（憲法）の「条項」は article と言います。

❸ vote / election / candidate / nominate /
　投票する　選挙　　候補者　　　指名する

campaign
　選挙運動

＊ campaign は sales campaign（セールスキャンペーン）のようにも用いますが、選挙関連の場合には、election campaign（選挙運動）や campaign speech（選挙演説）、campaign fund（選挙資金）のように用います。

❹ term / resignation / political party /
　任期　　辞任　　　　政党

ruling party / opposition party
　　与党　　　　　　野党

❺ ambassador / embassy / diplomat / bilateral /
　　大使　　　　大使館　　　外交官　　二国間の

treaty
　条約

＊ bilateral [bailǽtərəl]（二者間の、双方の）は、〈bi-（2 を意味する接頭辞）+ lateral（側面の）〉が語源です。unilateral [jùːnəlǽtərəl]（一方的な）、trilateral [trailǽtərəl]（三者から成る）、multilateral [mʌ̀ltilǽtərəl]（多国間の、多面的な）も一緒に覚えておきましょう。

UNIT 18 経済 シャドーイング

経済や金融のベーシックな単語を使って練習しましょう。どれも使用頻度の高い重要語なので、覚えておけばビジネスや世間話で使えます。

CD 20

 production / consumption / demand /
生産　　　　消費　　　　需要

supply / market competition
供給　　　市場競争

＊日本語では「需要と供給」と言いますが、英語では demand and supply と supply and demand のいずれも用いられます。

 economic growth / economic recovery /
経済成長　　　　景気回復

recession / depression / unemployment rate
景気後退　　不況　　　失業率

＊ the Great Depression は、1929年に起こった「世界大恐慌」のことです。

❸ **economist / currency / exchange rate /**
経済学者　　通貨　　　為替レート

interest rate / inflation
金利　　　　インフレ

 import / export / trade deficit /
輸入　　輸出　　貿易赤字

trade surplus / raw materials
貿易黒字　　　原料

＊ importer（輸入業者）、exporter（輸出業者）、trade imbalance [tréid imbǽləns]（貿易不均衡）、trade friction [tréid fríkʃən]（貿易摩擦）も覚えておきましょう。

 investment / stock / bond / futures / mutual fund
投資　　　株式　　債券　　先物　　投資信託

＊「株式」は stock や share と言いますが、「株主」は stockholder や shareholder と言います。

UNIT 19 **教育**
シャドーイング

学校・大学に関する単語が素材です。長い単語も出てきますが、音声にしたがってできるかぎり正確にまねてみましょう。

❶ **professor / graduate school / degree / major /**
　　教授　　　　　大学院　　　　　学位　　　専攻

credit
（履修）単位

＊「大学生（学部生）」は undergraduate（略して undergrad）、「大学院生」は graduate student（略して grad student）と言います。

❷ **enroll / registration / semester / tuition /**
　入学する　　　履修登録　　　　学期　　　　授業料

scholarship
　奨学金

＊ semester [siméstər] は２学期制のことを言います。３学期制ならば trimester [traiméstər]、４学期制ならば quarter [kwɔ́ːrtər] という語を用います。

❸ **academic year / assignment / term paper /**
　　学年度　　　　　　課題　　　　　学期末レポート

midterm exam / final exam
　　中間試験　　　　学期末試験

❹ **syllabus / attendance / quiz / cheating / grade**
　　講義概要　　　出席　　　小テスト　　カンニング　　成績

＊「抜き打ち小テスト」は pop quiz と言います。英語には cunning [kʌ́niŋ]（ずるい、狡猾な）という形容詞はありますが、これはテストの「カンニング」とは無関係です。確かに、カンニングはずるい行為ではありますが…。

❺ **sociology / linguistics / philosophy /**
　　社会学　　　　言語学　　　　　哲学

economics / psychology
　経済学　　　心理学

＊学問名はできるだけたくさん覚えておきましょう。

UNIT 20 日常生活 シャドーイング

なじみのある単語が多いと思います。カタカナ英語、和製英語に注意して、聞こえてくる音声を忠実にまねてみましょう。

CD 22

第1部 単語シャドーイング

❶ cook / sweep / polish / wipe / iron
料理する　掃く　　磨く　　拭き取る　アイロンをかける

❷ department store / grocery store /
　　　百貨店　　　　　　食料品店

shopping mall / convenience store / flower shop
ショッピングモール　　　コンビニ　　　　　　花屋

＊「花屋」は flower shop の他、florist shop や florist's とも言います。

❸ razor / tweezers / toothpaste / deodorant /
かみそり　ピンセット　練り歯磨き　　デオドラント

perfume
香水

＊razor [réizər]（かみそり）と laser [léizər]（レーザー）を混同しないようにしましょう。

❹ boutique / clerk / fitting room / price tag /
ブティック　店員　　試着室　　　　　　値札

cashier
レジ係

＊「試着室」は fitting room の他、dressing room とも言います。boutique [buːtíːk] と cashier [kæʃíər] の発音に気をつけましょう。

❺ shirt / blouse / pants / shorts / sweater
シャツ　ブラウス　ズボン　短パン　セーター

＊アメリカでは pants は「ズボン」を意味しますが、イギリスでは「パンツ、パンティ」を指します。イギリスでは「ズボン」のことを trousers [tráuzərz] と言います。

■ コラム 1

「毎日10分」の
トレーニングを続けましょう

シャドーイングは音声を正確に聞き取り、それを忠実に再現する（話す）という動作ですので、かなりの集中力と注意力、忍耐力を必要とします。1日10分でも最初は大変だと思うでしょう。でもその10分を毎日継続すれば、大きな力となります。1週間で70分、1カ月で300分（5時間）もシャドーイングのトレーニングをしたことになるのです。何事も**「継続は力なり」**ですね。シャドーイングも含めて、語学学習の鉄則はやはり「少しずつでもいいから毎日取り組む」です。頑張ってください。

第2部
センテンスシャドーイング

第2部では、短い英文を聞きながら、
シャドーイングの練習を行います。
UNITごとに文法項目別のセンテンスを揃えました。
発音、アクセント、リズム、イントネーションなどに注意して、
ネイティブの英語をできるだけまねるように練習してください。

UNIT 1 単純現在
シャドーイング

❶ I have a bit of a cold.
（ちょっと風邪を引いています／風邪気味です）

* a bit of a ～は「ちょっとした～」の意味の熟語です。「アビロヴァ」のように聞こえます。He has a bit of a problem.（彼はちょっとした問題を抱えています）のように用います。

❷ Everyone likes a warm and friendly person.
（誰でも温かく親しみやすい人が好きです）

❸ The mailman comes every day except Sunday.
（郵便配達人は日曜日を除いて毎日来ます）
□ **mailman** [méilmæn]　名「郵便配達人」

❹ One of my staff often arrives late for work.
（私の部下の一人はよく仕事に遅刻します）
□ **staff** [stǽf]　名「(集合的に) スタッフ、社員」

単純現在は、❶現在の事実、❷現在の習慣的行為、❸一般的な事実、❹未来の確定的な事柄、などを表します。中学校で習った英語の最も基本的なパターンですね。この単純現在を用いて、みなさんも日頃から身の周りの事柄をどんどん英文で描写してみてください。

❺ Water consists of hydrogen and oxygen.
（水は水素と酸素から成っています）

＊ consist of ～は「～から成る」の意味の熟語です。
- **hydrogen** [háidrədʒən]　名「水素」
- **oxygen** [ɑ́ksidʒən]　名「酸素」

❻ The moon takes 28 days to go around the Earth.
（月は28日周期で地球を回っています）

＊ go around は orbit（～を周回する）に言い換え可能です。

❼ Next Thursday is Thanksgiving Day.
（来週の木曜日は感謝祭です）

＊アメリカの Thanksgiving Day（感謝祭）は、11月の第4木曜日（祝日）に秋の収穫を祝い、神に感謝する日です。

❽ They leave for Detroit tomorrow morning.
（彼らは明日の朝、デトロイトへ出発します）

＊ leave for ～は「～へ向かって出発する」の意味です。leave A for B（Bへ向けてAを出発する）の形にも慣れておきましょう。例 I leave Osaka for Tokyo tomorrow.（私は明日東京に向けて大阪を発ちます）

第2部 センテンスシャドーイング

UNIT 2 単純過去 シャドーイング

❶ Beth **bought** a new suit for the interview.
（ベスは面接のために新しいスーツを買いました）
* Beth [béθ]（Elizabeth の愛称）の発音に気をつけましょう。
☐ suit [súːt] 名「スーツ」

❷ Last weekend I **went** skiing in Nagano with my friends.
（先週末、友達と長野へスキーに行ってきました）
*「〜へスキーに行く」は〈go skiing in + 場所〉となります。in の代わりに to を用いることはできないので、注意しましょう。

❸ The tragic accident **occurred** at about 9:30 pm on Wednesday.
（その悲惨な事故が起きたのは、水曜日の午後 9 時 30 分頃でした）
☐ tragic [trædʒik] 形「悲惨な、悲劇的な」

単純過去は、❶過去の動作・状態、❷過去の習慣的行為、などを表します。これも基本的な用法です。特に、一般動詞の過去形が不規則変化（例 go → went）する場合に注意しましょう。

④ We lived in Austin, Texas in those days.
（私たちは当時、テキサス州のオースティンに住んでいました）
* Austin はテキサス州の州都です。
- □ **in those days**「当時は、あの頃は」

⑤ For some reason my boss was in a good mood today.
（どういうわけか、今日上司はご機嫌でした）
* in a good mood（機嫌が良い）の反対は、in a bad mood（機嫌が悪い）です。
- □ **for some reason**「なぜか、どういうわけか」
- □ **boss** [bɔ́ːs] 名「上司、長」

⑥ Carol often babysat when she was in high school and college.
（キャロルは高校と大学の頃、よくベビーシッターをしたものです）
* babysat は、動詞 babysit（ベビーシッターをする）の過去形です。だから、「ベビーシッターをする人」のことは babysitter と言うわけですね。

⑦ I got up before six every morning when I was in high school.
（私は高校時代、毎朝 6 時前に起きていました）

⑧ We rented a cabin by the lake almost every summer.
（私たちはほとんど毎夏その湖の側にキャビンを借りたものです）
- □ **rent** [rént] 動「借りる」

UNIT 3 未来表現
シャドーイング

1 Nancy **will be** 22 on her next birthday.
（ナンシーは今度の誕生日が来ると 22 歳になります）

2 You**'ll be** in time if you hurry.
（急げば間に合いますよ）

* in time は「間に合って」の意味の熟語です。You'll be in time は You'll make it に言い換え可能です。
- □ **hurry** [hə́:ri] 動「急ぐ」

3 His new book **will come** out before long.
（彼の新しい本はまもなく出版されるでしょう）

* come out は「出版される、発売される」の意味の熟語です。will come out は will be published に言い換え可能です。
- □ **before long**「まもなく、すぐに」（= soon）

未来時を表す形式にはいろいろありますが、ここでは❶単純未来の will、❷意志未来の will と shall を扱います。形としては、〈will [shall] + 動詞の原形〉となります。

④ I won't be able to check my e-mail for a while.
（しばらくの間、メールをチェックできなくなります）

* won't [wóunt] は will not の短縮形です。
☐ **for a while**「しばらく、少しの間」

⑤ I'll give you a ride home.
（車で家まで送るよ）

* give ～ a ride は「～を車で送る」の意味です。イギリスでは give ～ a lift と言います。

⑥ I'll do my best to make my dream come true.
（私は自分の夢を叶えるために最善を尽くします）

* do *one's* best は「最善を尽くす」（= try *one's* best, do *one's* utmost）の意味の熟語です。my dream の前の make は使役動詞で「(…に) ～させる」の意味です。
☐ **come true**「実現する、叶える」

⑦ Mark, will you do me a favor?
（マーク、ちょっとお願いがあるんだけど）

* will を would や could にすると、丁寧な依頼（～していただけますか）になります。

⑧ Shall I have him return your call?
（彼に折り返し電話をさせましょうか）

* この have も使役動詞で「(…に) ～させる」の意味です。

UNIT 4 現在完了
シャドーイング

① I've just **finished** writing the monthly report.
（月次報告書をちょうど書き終えたところです）
* finish は目的語として動名詞のみを取る動詞です。

② We've **been** to the airport to see our friends off.
（私たちは友達を見送りに空港へ行ってきたところです）
* see 〜 off は「〜を見送る」の意味の熟語です。see off our friends と言うことも可能です。

③ A package from Singapore **has arrived** for you.
（あなた宛てにシンガポールからの小包が届いています）
* Singapore [síŋgəpɔ̀:r]（シンガポール）の発音に気をつけましょう。
☐ **package** [pǽkidʒ] 名「小包」(= parcel)

現在完了は〈have + 過去分詞〉の形で、❶動作の完了・結果、❷経験、❸継続、などを表します。特に、一般動詞の過去分詞形が不規則変化（例 go → gone）する場合に注意しましょう。

❹ My sister has gone to France for her vacation.
（姉は休暇でフランスに行っています）

＊〈have gone to ～〉は「（結果）～へ行ってしまった」の意味です。つまり、「～へ行ってしまって、今ここにいない」わけです。

❺ Ken, have you ever been to Europe?
（ケン、あなたはヨーロッパに行ったことがありますか）

＊❷の〈have been to ～〉は「（完了）～へ行ってきたところだ」の意味でしたが、この〈have been to ～〉は「（経験）～へ行ったことがある」の意味を表します。

❻ I've already seen the movie several times.
（その映画なら、もう何度か見ました）

□ several [sévərəl]　形「いくつかの、数個の」

❼ We've known Ted since he was just a little boy.
（私たちはテッドをほんの幼い頃から知っています）

❽ Mr. Clark has lived in Japan for the past 13 years.
（クラーク氏はこの13年間、日本に住んでいます）

＊ for the past 13 years は、for the last 13 years に言い換え可能です。

UNIT 5 進行形
シャドーイング

❶ Karen is studying in the school library.
（カレンは学校の図書館で勉強しています）

❷ George is taking a bath right now.
（ジョージは今お風呂に入っています）

* take a bath（風呂に入る）の bath [bǽθ] はしっかりと th [θ] の音を発音しましょう。いい加減に発音すると、take a bus（バスに乗る）のように誤解されてしまいますよ。

❸ Almost 30 percent of our employees are working part-time.
（我が社の従業員のほぼ 30 パーセントがパートで働いています）

* work part-time の part-time（パートタイムで、非常勤で）は副詞です。work full-time（フルタイムで働く、常勤で働く）や work overtime（残業する、超過勤務をする）も同じ用法です。

❹ Paul was just getting ready to go out.
（ポールはちょうど外出の支度をしているところでした）

☐ **get ready to** *do* 「～する準備をする」
☐ **go out** 「外出する」

進行形は〈be + 現在分詞〉の形式で、「～している」の意味を表します。このユニットでは、❶現在進行形〈am [are, is] + 現在分詞〉、❷過去進行形〈was [were] + 現在分詞〉、❸未来進行形〈will [shall] + be + 現在分詞〉の３つに絞って、シャドーイングの練習をします。

❺ We were waiting for the shuttle bus to come then.
（私たちはその時シャトルバスが来るのを待っていました）
- □ shuttle bus「シャトルバス」

❻ I was watching TV when you called me yesterday.
（昨日あなたから電話をもらった時、私はテレビを見ていました）

❼ I'll be expecting you here at four tomorrow.
（明日４時にここでお待ちしております）
* この expect は「～が来るのを待つ」の意味です。

❽ I'll be looking forward to hearing from you soon.
（近いうちにお返事いただけることを楽しみにしております）
* look forward to ～は「～を楽しみに待つ」の意味の熟語です。to の後には名詞または動名詞が続きます。
- □ hear from ～「～から連絡をもらう」

UNIT 6 疑問詞① What, Who, Which
シャドーイング　CD 28

❶ What's the local time in Paris?
（パリの現地時間は何時ですか）
☐ local time「現地時間」

❷ What's the name of the hotel Sam's staying at?
（サムが泊まっているホテルの名前は何ですか）
☐ stay at 〜「〜に宿泊する」

❸ What do you think of the new advertising campaign?
（新しい広告キャンペーンについてどう思いますか）

＊ What do you think of 〜？は、How do you feel about 〜？と同じで、「〜をどう思いますか」の意味を表します。What do you feel about 〜？とは言いませんので、注意してください。
☐ advertising campaign [ǽdvərtaiziŋ kæmpèin]「広告キャンペーン」

what は「何」（物）を、who は「誰」（人）を、which は「どちら、どれ」（人・物）を尋ねる時に用います。

❹ What kind of music do you mostly listen to?
（主にどんな種類の音楽を聞くのですか）

* What kind of ～は「どういう種類の～」の意味で、What sort of ～に言い換え可能です。
- [ ] **mostly** [móustli] 副「主に、たいていは」

❺ Who is the guy sitting next to Janet?
（ジャネットの隣に座っている男は誰ですか）

* guy（男、やつ）は man のインフォーマルな言い方です。sitting next to は seated next to に言い換え可能です。
- [ ] **next to ～**「～の隣に」

❻ Who will be the most suitable for the task?
（その職務に最もふさわしいのは誰でしょうか）

- [ ] **suitable** [súːtəbl] 形「適した、ふさわしい」

❼ Which bus goes to the airport?
（空港行きのバスはどれですか）

❽ Which floor is the men's shop on?
（紳士服売り場は何階ですか）

* 文末の前置詞 on を忘れないように注意しましょう。It's on the third floor.（3階です）を考えると、on が必要であることがすぐに分かりますね。
- [ ] **men's shop**「紳士服の店」

第2部 センテンスシャドーイング

UNIT 7 疑問詞② Where, When
シャドーイング

CD 29

❶ Where are you heading?
（どこに行くのですか）

＊heading の後に、「方向の目標点」を表す for や「到着点」を表す to を付けて、Where are you heading for [to]? と言うことも可能です。もちろん、もっと簡単に Where are you going? と言っても OK です。さらに、受動態を用いて、Where are you headed for [to]? と言うこともできます。

❷ Where is the nearest bank from here?
（ここから一番近い銀行はどこですか）

❸ Where do I collect my baggage?
（手荷物はどこで受け取るのですか）

＊collect [kəlékt]（受け取る）と correct [kərékt]（訂正する）を混同しないようにしましょう。

□ **baggage** [bǽgidʒ]　名「手荷物」(= luggage) ＊不可算名詞

❹ Where can I find more information on this subject?
（この問題についてさらなる情報をどこで見つけることができますか）

□ **subject** [sʌ́bdʒikt]　名「問題、話題」

where は「どこ」(場所) を、when は「いつ」(時間) を尋ねる時に用います。

❺ When did you last see Kevin?
(最後にケヴィンに会ったのはいつですか)

＊この last は副詞で「最後に、前回に」の意味です。last の位置を変えて、When did you see Kevin last? と言うことも可能です。

❻ When would be convenient for you?
(いつでしたらご都合がよろしいでしょうか)

＊would の代わりに will を用いることもできますが、would の方がより丁寧で柔らかい言い方になります。

❼ When is the San Francisco train supposed to arrive?
(いつサンフランシスコ行きの電車は到着の予定ですか)

☐ **be supposed to** *do*「〜することになっている」

❽ When did you negotiate with Mr. Hall on payment?
(支払いに関して、いつホール氏と交渉したのですか)

☐ **negotiate with 〜**「〜と交渉する」
☐ **payment** [péimənt] 　名「支払い」

UNIT 8 疑問詞③ Why, How
シャドーイング

❶ Why are you applying for this position?
（なぜこの職に応募なさったのですか）
＊英文は現在進行形ですが、面接の場面ではこのような日本語で質問するのが自然と考え、あえてこのように和訳しました。
□ **apply for** 〜 「〜に応募する、申し込む」

❷ Why is the boss in such a bad mood today?
（どうして上司は今日そんなに不機嫌なんですか）
＊ in a bad mood は「不機嫌で」の意味です。反対は、in a good mood（良い機嫌で）です。

❸ Why did the board meeting run so long yesterday?
（なぜ役員会議は昨日そんなに長引いたのですか）
＊この run は「行われる、続く」の意味です。last に言い換え可能です。
□ **board meeting** 「役員会議、重役会議」

whyは「なぜ」（理由）を尋ねる時に用います。howは単独で用いると「どのように」（方法、手段、状態）を意味します。さらに、〈How + 形容詞／副詞〜?〉の形で「どのくらい〜」（程度）を尋ねる表現となります。How many（数）、How much（量）、How long（長さ）、How tall（背丈）、How old（年齢）、How far（距離）などがその例です。

❹ **Why didn't you tell me that a lot earlier?**
（どうしてそのことをずっと前に言ってくれなかったのですか）
＊ a lot は比較級（earlier）を修飾する語句で、比較級を強める働きをしています。

❺ **How do you spell your last name?**
（あなたの名字はどのように綴るのですか）
＊ How's your last name spelled? と言うことも可能です。名字は last name の他、family name や surname [sə́ːrneim] とも言います。

❻ **How are the new employees in your department doing?**
（あなたの部署の新入社員の様子はどうですか）
□ **department** [dipɑ́ːrtmənt] 名「部、課」

❼ **How many times have you traveled overseas?**
（海外旅行は何回行ったことがありますか）
□ **travel overseas**「海外旅行に行く」（= travel abroad）

❽ **How long do you expect to stay in Guam?**
（どのくらいの期間、グアムに滞在の予定ですか）

UNIT 9 　It と There
シャドーイング

❶ It's been almost 30 years since they got married.
（彼らが結婚してから、もう 30 年になろうとしています）

* It's (= It has) been almost 30 years は、It's (= It is) almost 30 years に言い換え可能です。
☐ **get married**「結婚する」

❷ It's about 10 minutes' walk to the science museum.
（その科学博物館へは歩いて約 10 分です）

* It's about 10 minutes walk のように、アポストロフィを省略しても構いません。また、この英文は It's about a 10-minute walk to ～と言うこともできます。冠詞 (a) に注意してください。
☐ **science museum**「科学博物館」

❸ It should clear up later this afternoon.
（午後遅くには、すっかり晴れるはずです）

☐ **clear up**「天気がよくなる」

❹ It seems that Sandra is still upset with me.
（サンドラは今も私に腹を立てているように見えます）

☐ **upset with ～**「～に対して憤慨して」

it は「時間」「距離」「天候」「明暗」などを表したり、It seems that ～（～らしい）などの構文で用いられたり、形式主語・形式目的語として用いられたり、It is ... that ～の強調構文で用いられたりと、さまざまな用法があります。また、「存在」の there を用いた文にも慣れる練習をしましょう。

❺ It doesn't matter to me whether you agree or not.
（あなたが同意するにせよしないにせよ、私には関係のないことです）

* It doesn't matter ～は「～は問題ではない、構わない、関係ない」の意味を表す形式主語構文です。この whether（～かどうか）は if に言い換え可能です。

❻ It was in college that I met Kari for the first time.
（私がキャリーに初めて会ったのは、大学在学中のことでした）

* これは強調構文です。It is [was] と that を取り除いて、残りの部分が完全な文であれば強調構文、不完全な文であれば形式主語構文と覚えておけばよいでしょう。

❼ There are tons of things to do this week.
（今週はやらなければならないことがたくさんあります）

☐ tons of ～「たくさんの～、ものすごい量の～」

❽ There happened to be a PTA meeting on that day.
（その日はたまたま PTA の会合がありました）

* happen to do は「たまたま～する」の意味を表します。PTA は Parent-Teacher Association（父母と教師の会）の頭字語です。

UNIT 10 受動態
シャドーイング

❶ The picture above was painted by an Italian artist.
(この上の絵はイタリアの画家によって描かれました)
- □ **paint** [péint] 動「(絵の具で) 描く」

❷ Frank was laughed at by everybody around him.
(フランクは周りの皆から笑われました)
* laugh at ~ (~を笑う)は句動詞なので、受動態の時もひとかたまりで扱うことに注意しましょう。listen to ~ (~を聞く)もそうですが、〈動詞 + 前置詞〉は1つのセットとして他動詞として見なすわけです。

❸ Taking photos is not permitted in this casino.
(このカジノで写真を撮ることは禁止されています)
* casino [kəsí:nou] (カジノ) の発音に気をつけましょう。
- □ **photo** [fóutou] 名「写真」(photograph の短縮形)
- □ **permit** [pərmít] 動「許可する」

❹ How many people were killed in the plane crash?
(その飛行機墜落(ついらく)事故で何名の人が亡くなったのですか)
* 事故や災害などで死ぬ場合には、能動態を使った How many people died ~ よりも、受動態を使った How many people were killed ~ を用いる方が普通です。
- □ **plane crash**「飛行機墜落事故」

動作を行うものを主語にした動詞の形を能動態、動作を受けるものを主語にした動詞の形を受動態（受け身）と言います。受動態は、〈be 動詞 + 過去分詞 +（by + 行為者）〉で表されます。ただし、行為者を特定する必要がない場合には、（by + 行為者）の部分は省略されます。

❺ **How long will my flight be delayed?**
（私の便はどのくらい遅れますか）
☐ **delay** [diléi]　動「遅れさせる」

❻ **Larry was caught for speeding and fined $250.**
（ラリーはスピード違反で捕まって、250 ドルの罰金を科せられました）
＊ fined の前には was が省略されていると考えると分かりやすいですね。この英文は、もっと簡単に Larry was fined $250 for speeding. と言うことも可能です。
☐ **speeding** [spí:diŋ]　名「スピード違反」
☐ **fine** [fáin]　動「罰金を科す」

❼ **The staff meeting has been rescheduled for next Wednesday.**
（スタッフ会議は来週の水曜日に変更されました）
☐ **reschedule** [riskédʒu:l]　動「変更する、延期する」

❽ **Completed application forms should be returned no later than April 14th.**
（記入済みの申込書は 4 月 14 日までに返送してください）
☐ **application form**「申込書、願書」
☐ **no later than ～**「(遅くとも) ～までに」

UNIT 11 助動詞 ①
シャドーイング

① **May** I see your passport, please?
（パスポートを拝見させていただけますか）
* may は「〜してよい」（許可）の意味を表します。can よりも形式ばった言い方になります。

② If God is on my side, I **can** do anything.
（神が私に味方してくださるのであれば、私はどんなことでもできます）
* can は「〜できる」（能力・可能）の意味を表します。
☐ **on *one's* side**「〜に味方して」

③ Things **will** be back to normal at some point.
（事態はいつか通常の状態に戻るでしょう）
* will は「〜になるだろう」（推量）の意味を表します。
☐ **back to normal**「通常（の状態）に戻って」
☐ **at some point**「ある時点で、いつか」

④ Well, **shall** we get down to business?
（それでは、本題に入りましょうか）
* shall は「提案」をする時に用います。get down to business は「（会議において）本題・本論に入る」や「仕事に取りかかる」の意味の熟語です。

⑤ **Would** you mind if I opened the window?
（窓を開けても構いませんか）
* would は「許可」を求める時に用います。Would you mind if 〜?（〜しても構いませんか）は丁寧な表現です。mind if の部分は、通常の会話ではたいてい「マインディフ」のようにつなげて発音されます。

can/could, may/might, will/would, shall/should, must など、助動詞の基本的な用法をマスターしておくことは非常に大切です。これらの助動詞は、話者や書き手の心的状態を表し、「動詞の原形がすぐ後にくる」ことを大原則として覚えておきましょう。

❻ I wonder if I could interrupt you for a second.
（お取り込み中すみませんが、ちょっとよろしいでしょうか）

* could も「許可」を求める時に用います。can よりも丁寧な言い方になります。
- □ **interrupt** [íntərʌ́pt] 動「邪魔する、妨げる」
- □ **for a second**「少しの間、一瞬」（= for a minute/moment）

❼ If the pain persists, you should probably go see a doctor.
（もし痛みが続くようなら、おそらく医者に診てもらった方がいいよ）

* should は「～するほうがいい、～すべきである」の意味を表し、人に何かを勧める時に用います。go see a doctor（医者に診てもらう）は、go to see a doctor や go and see a doctor を簡単にした表現です。さらに、go を省いて最も簡単に、see a doctor と言っても構いません。
- □ **persist** [pərsíst] 動「持続する」

❽ All drivers and passengers must wear seat belts at all times.
（運転者と同乗者の全員が常時シートベルトを着用しなければなりません）

* must は「～しなければならない」（義務）の意味を表します。アメリカではほとんどの州で、自動車に乗る場合、同乗者（助手席および後部座席）のシートベルト着用が義務づけられています。
- □ **passenger** [pǽsəndʒər] 名「乗客」
- □ **at all times**「いつも、常に」

UNIT 12 助動詞② シャドーイング

❶ I sometimes have to work overtime.
（時々残業をしなければなりません）

* have to は「～しなければならない」（義務）の意味を表します。have to は must よりも強制の意味が弱い助動詞です。have to は速く発音されると、「ハフタ」のように聞こえます。
- □ **work overtime**「残業をする」

❷ We ought to be more generous to the poor.
（我々は貧しい人々にもっと寛大になるべきです）

* ought to は「～すべきだ」（義務）の意味を表します。ought to は should よりもやや意味が強い助動詞です。ought to は速く発音されると、「オータ」のように聞こえます。
- □ **generous** [dʒénərəs] 形「気前のよい、惜しみない、親切な」

❸ Bruce used to go drinking almost every night.
（以前ブルースはほぼ毎晩のように飲みに出掛けていました）

* used to は「～したものだった、以前は～だった」（過去の習慣・状態）の意味を表します。be used to ～（～に慣れている）との違いを区別して覚えておきましょう。used to は速く発音されると、「ユースタ」のように聞こえます。
- □ **go drinking**「飲みに行く」

❹ I might have left my umbrella on the train.
（電車の中に傘を置き忘れたかもしれません）

* 〈might have + 過去分詞〉は「ひょっとしたら～したかもしれない」（過去に対する推量）の意味を表します。might have は通常、might've（マイトヴ）のように発音されます。

このユニットでは、❶2 語以上からなる助動詞（**have to, ought to, used to** など）、❷〈助動詞 + have + 過去分詞〉の形、❸助動詞を用いた慣用表現の 3 つに絞って、シャドーイングの練習をします。

❺ Someone must have opened my package.
（誰かが私の小包を開けたに違いありません）

＊〈must have + 過去分詞〉は「〜したに違いない」（強い推定）の意味を表します。must have は通常、must've（マストヴ）のように発音されます。

❻ I should have warned Gary about it sooner.
（それについてはゲリーにもっと早く注意しておくべきでした）

＊〈should have + 過去分詞〉は「〜すべきだった（のにしなかった）」（果たされなかった義務）の意味を表します。should have は通常、should've（シュドヴ）のように発音されます。

☐ **warn** [wɔ́ːrn]　動「警告する、注意する」

❼ I can't help thinking about my next trip.
（次の旅行について思いを馳せずにいられません）

＊〈can't help *doing*〉は can を用いた慣用表現で、「〜せざるを得ない」の意味です。同じ意味の表現として、〈can't but *do*〉と〈can't help but *do*〉も一緒に覚えておきましょう。もちろん、これらの can't は cannot にしても OK です。

❽ You might as well stay with us for the night.
（うちに一泊していった方がいいですよ）

＊〈might as well *do*〉は might を用いた慣用表現で、「（そうしない理由が見当たらないので）〜した方がいい、〜した方がよさそうだ」の意味です。積極的に「〜した方がいい」という意味ではありません。might を may に変えて、〈may as well *do*〉としても同じ意味を表します。

UNIT 13 仮定法
シャドーイング

❶ The doctor advised that Steve stop smoking.
（医者はスティーブがタバコをやめるように忠告しました）

* advise をはじめ、demand, insist, recommend, request, require, suggest のような「提案・要求」を表す動詞に続く that 節中では、仮定法現在が用いられます。よって、動詞の形は、人称を問わず「原形」です。ただし、イギリス英語では動詞の原形の代わりに、〈should + 動詞の原形〉を使うことがよくあります。

❷ It's necessary that Helen contact the police right away.
（ヘレンはすぐに警察に連絡する必要があります）

* necessary をはじめ、advisable, desirable, essential, imperative, important のような「要求・願望」を表す形容詞に続く that 節中では、仮定法現在が用いられます。〈It is + 形容詞 + that 節（仮定法現在）〉のパターンです。
□ **right away**「すぐに」（= at once, immediately）

❸ If I knew her phone number, I would call her.
（もし彼女の電話番号を知っていれば、電話するのですが）

* 現在の事実に反する仮定（仮定法過去）です。コンマ前（条件節）とコンマ後（帰結節）を、仮定法過去の公式とじっくり照らし合わせてみてください。

❹ If I were in your shoes, I wouldn't pass up an opportunity like that.
（もし私があなたの立場だったら、そのような機会を逃さないでしょう）

* これも仮定法過去の文です。英文が少々長くなっても、「形」と「意味」を瞬時に理解できるようにしておかなければなりません。an opportunity は a chance に言い換え可能です。
□ **in *one's* shoes**「〜の立場になって」
□ **pass up 〜**「〜を逃す、見送る」

仮定法は、まず〈If + S + 過去形/were, S + 過去形助動詞（would, should, could, might）+ 動詞の原形〉（仮定法過去）と〈If + S + had + 過去分詞 , S + 過去形助動詞（would, should, could, might）have + 過去分詞〉（仮定法過去完了）の 2 つの公式を簡単な例文で完全に身につけましょう。

❺ It's time you started working on the new project.

（もうその新しいプロジェクトに取り掛かるべき時期ですよ）

＊〈It is time + S + 仮定法過去〉は「〜してもよい頃だ」の意味を表します。time の前に about や high がついて、about time（そろそろ〜する時間）、high time（とっくに〜する時間）となることもあります。
例 It's about time you went to bed.（= It's about time for you to go to bed.）「もうそろそろ寝る時間ですよ」

❻ If I had had enough money, I could have bought the coat.

（もしも十分なお金を持っていたら、私はそのコートを買えたでしょう）

＊過去の事実に反する仮定（仮定法過去完了）です。コンマ前（条件節）とコンマ後（帰結節）を、仮定法過去完了の公式とじっくり照らし合わせてみてください。

❼ Without your help, I would definitely have failed.

（あなたの助けがなければ、私は間違いなく失敗していたでしょう）

＊これも仮定法過去完了の文です。条件節の Without your help の部分は、But for your help や If it had not been for your help（If を省略すれば倒置が生じ、Had it not been for your help）などに書き換え可能です。
□ **definitely** [défənitli] 副「確かに、間違いなく」

❽ I wish my supervisor had left it unsaid.

（上司がそのことを言わないでおいてくれればよかったと思います）

＊これも仮定法過去完了の文ですね。leave 〜 unsaid は「〜を口に出さないでおく」の意味の熟語です。
□ **supervisor** [súpərvàizər] 名「上司、管理者、監督者」

UNIT 14 関係詞① シャドーイング

① The family who lives across the street from us is nice and friendly.

（うちの向かいに住んでいる家族はとても優しい人たちです）

* 関係代名詞 who（主格）が使われています。that を用いても OK です。〈nice and + 形容詞／副詞〉は「とても～、ずいぶん～」の意味です。
- □ across the street from ～「～から通りを隔てた所にある」

② The man whom Donna got married to is a heart surgeon.

（ドナが結婚した男性は心臓外科医です）

* 関係代名詞 whom（目的格）が使われています。that を用いても OK です。Donna [dá:nə] の発音に気をつけましょう
- □ get married to ～「～と結婚する」
- □ heart surgeon [há:rt sə̀:rdʒən]「心臓外科医」

③ That's the man whose house burned down last fall.

（あの男性が去年の秋に家を全焼した人です）

* 関係代名詞 whose（所有格）が使われています。
- □ burn down「全焼する」

④ This is the magazine article which I told you about last week.

（これが先週私があなたにお話しした雑誌の記事です）

* 関係代名詞 which（目的格）が使われています。that を用いても OK です。
- □ magazine article「雑誌記事」

このユニットでは、関係代名詞（who, which, that, what）および複合関係代名詞（whoever, whomever, whichever, whatever）を扱います。例文を通して、「形式」と「用法」をしっかりマスターしましょう。

❺ That's the very thing that I wanted to say.
（私が言いたかったのは、まさにそのことです）

＊関係代名詞 that（目的格）が使われています。名詞の前に置かれる the very は「まさにその、ちょうどその」の意味を表す強意の修飾語です。

❻ What's good about this book is that it's quite easy and entertaining.
（この本の良い点は、非常に読みやすくて面白いところです）

＊ what は先行詞なしで使える唯一の関係代名詞で、「～すること、～するもの」と言う意味を表します。

☐ **entertaining** [èntərtéiniŋ]　形「面白い、楽しい」

❼ Whoever wants to see the concert can enter for free.
（そのコンサートを見たい人は誰でも無料で入れます）

＊複合関係代名詞 whoever は「～する人は誰でも」（= anyone who）の意味を表します。for free（無料で、ただで）は free of charge に言い換え可能です。

❽ You can take whichever you like, Laura.
（どちらでも好きなほうを取っていいですよ、ローラ）

＊複合関係代名詞 whichever の名詞節を導く用法です。take は have に言い換え可能です。Laura [lɔ́:rə] の発音に気をつけましょう

第2部 センテンスシャドーイング

UNIT 15 関係詞② シャドーイング

❶ I'll never forget the day when I first met Rebecca.

（私はレベッカと初めて会った日を決して忘れません）

＊関係副詞 when が使われています。「時」を表す語が先行詞になります。

❷ This is the house where Winston Churchill was born in 1874.

（これは 1874 年、ウィンストン・チャーチルが生まれた家です）

＊関係副詞 where が使われています。「場所」を表す語が先行詞になります。where の代わりに、in which を用いることも可能です。「ウィンストン・チャーチル」とは、イギリスの政治家（元首相）Sir Winston Churchill（1874-1965）のことです。

❸ Can you tell me the reason why you were late again today?

（なぜ今日もまた遅刻したのかその理由を言ってもらえますか）

＊関係副詞 why が使われています。「理由（reason）」を表す語が先行詞になります。

❹ The time will soon come when we can travel through space.

（私たちが宇宙に旅行できる時がやがて来ることでしょう）

＊先行詞（the time）と関係副詞節（when ～）がこのように離れる場合もあります。travel through space（宇宙旅行をする）は、travel in space に言い換え可能です。

このユニットでは、関係副詞（when, where, why）および複合関係副詞（whenever, wherever, however）を扱います。例文を通して、「形式」と「用法」をしっかりマスターしましょう。

❺ Roy went to London, where he stayed for a month.

（ロイはロンドンに行き、そこに 1 カ月間滞在しました）

＊関係副詞 where の非制限用法です。この場合の where は and there の意味を表します。

❻ Please come to see us whenever it is convenient for you.

（都合の良い時にいつでも遊びに来てください）

＊複合関係副詞 whenever が副詞節を導く場合です。whenever は「いつであれ〜の時には」（= at any time when）の意味を表します。come to see 〜（〜に会いに来る）は、come and see 〜と言うことも可能です。

❼ Wherever you go in Japan, you'll find convenience stores.

（日本ではどこへ行っても、コンビニエンス・ストアがあります）

＊複合関係副詞 wherever が譲歩節を導く場合です。wherever は「どこに〜しても」（= no matter where）の意味を表します。you と go の間に may を入れても OK です。

❽ However hard they may try, they won't be able to make it.

（どんなに彼らが一生懸命やってみても、うまくいかないでしょう）

＊複合関係副詞 however が譲歩節を導く場合です。however は「どれだけ〜しても」（= no matter how）の意味を表します。they と try の間の may は省略しても構いません。

☐ **make it**「うまくやる、成功する」（= succeed）

UNIT 16 分詞
シャドーイング

① **The girl playing the piano over there is Roger's oldest daughter.**

（あそこでピアノを弾いている女の子はロジャーの長女です）

* 現在分詞（playing）が単独ではなく他の語句（the piano over there）と一緒に名詞（the girl）を修飾する時は、その名詞の後に置かれます（後位用法）。

② **We enjoyed the scenery of beautiful mountains covered with snow.**

（私たちは雪に覆われた美しい山々の景色を堪能しました）

* 過去分詞（covered）が他の語句（with snow）と一緒に前の名詞（mountains）を修飾しています（後位用法）。
- □ **scenery** [síːnəri] 名「景色」

③ **Not knowing what to say, Betty remained silent for some time.**

（何と言ったらよいかわからなかったので、ベッティはしばらくの間黙ったままでいました）

* 「理由」を表す分詞構文です。分詞の否定は、分詞の前に否定語（not）を置きます。
- □ **for some time**「しばらくの間」

④ **Having heard the song before, I could recognize it at once.**

（その曲は以前聞いたことがあったので、すぐに分かりました）

* 主文の述語動詞よりも前の「時」を示す完了形の分詞構文〈Having + 過去分詞〉です。
- □ **recognize** [rékəgnàiz] 動「認識する、分かる」
- □ **at once**「すぐに、瞬時に」

現在分詞は「能動」の意味を、過去分詞は「受動」の意味を表すことを覚えておきましょう。また、分詞構文、独立分詞構文、慣用的な分詞構文は、例文を通して「形式」と「用法」をしっかりマスターしましょう。

❺ We'll be playing tennis tomorrow morning, weather permitting.

（天気が許せば、私たちは明日の午前中テニスをします）

＊慣用的に用いる独立分詞構文です。weather permitting（天気が許せば）は、if the weather permits に言い換えることができます。

❻ Jeff was listening to my side of the story with his arms folded.

（ジェフは腕を組んで私の言い分を聞いてくれました）

＊his arms と folded の間に being が省略されていると考えてください。〈with + 独立分詞構文〉は「付帯状況」や「理由」を表します。**例** with *one's* eyes closed（目を閉じたままで）、with *one's* legs crossed（足を組んで）、with gas running out（ガソリンが切れてきたので）

☐ *one's* **side of the story**「～の側の話」　☐ **fold** [fóuld] **動**「組む」

❼ Generally speaking, the Japanese are a diligent people.

（概して言えば、日本人は勤勉な国民です）

＊generally speaking（一般的に言うと）は慣用表現となった独立分詞構文です。これと形が似たものに、frankly speaking（率直に言うと）、strictly speaking（厳密に言うと）、roughly speaking（大ざっぱに言うと）などがあります。

☐ **diligent** [dílədʒənt] **形**「勤勉な、熱心な」（= hardworking）

❽ All things considered, our fundraising campaign was highly successful.

（総合的に考えてみると、我々の募金運動は大成功でした）

＊all things considered（すべてを考慮に入れると、総合的に考えてみると）は慣用表現となった独立分詞構文です。all の前には with が、things と considered の間には being が省略されていると考えれば、理解しやすいと思います。

☐ **fundraising campaign** [fʌ́ndreiziŋ kæmpéin]「募金運動」
☐ **highly** [háili] **副**「極めて、非常に」

UNIT 17 不定詞
シャドーイング

❶ Where do you intend to spend your summer vacation this year?
（今年の夏休みはどこで過ごすつもりですか）

* to spend が intend の目的語になっている to 不定詞の名詞的用法です。

❷ Sure enough, the cab driver knew exactly where to go.
（案の定、そのタクシー運転手は行き先を正確に知っていました）

* 〈疑問詞 + to 不定詞〉も名詞的用法です。よく使われる例として、I don't know what to say.（私は何と言ってよいか分かりません）、Do you know when to start?（いつ始めればよいか分かりますか）、Could you tell me how to get to the station?（駅への行き方を教えていただけますか）などがあります。
  - □ **sure enough**「案の定、予期した通り」
  - □ **cab driver** [kǽb dràivər]「タクシー運転手」(= taxi driver)

❸ I've got quite a few things to do this week.
（今週私はやらなくてはならない仕事がたくさんあります）

* to 不定詞の形容詞的用法です。to 不定詞が名詞のすぐ後に置かれて、形容詞の働きをしています。この英文では、名詞が to 不定詞の目的語になっています。I've got (= I have got) は I have の意味です。
  - □ **quite a few**「かなり多くの」

❹ I'm going to the train station tonight to pick up my cousin.
（私は今晩、いとこを迎えに駅に行く予定です）

*「目的」（～するために）を表す to 不定詞の副詞的用法です。
  - □ **pick up ～**「～を車で迎えに行く」

不定詞には **to** 不定詞と原形不定詞がありますが、ここでは **to** 不定詞のみを扱います。**to** 不定詞は「未来志向的」と発想してください。**to** 不定詞には、名詞的用法、形容詞的用法、副詞的用法の３つがありますが、特に副詞的用法にはいろいろな用法があります。

❺ I was shocked to hear that Eric had passed away from a heart attack.

（私はエリックが心臓発作で亡くなったと聞いて愕然としました）

* 「原因」（〜して）を表す to 不定詞の副詞的用法です。感情を表す形容詞（glad, delighted, relieved, sorry など）の後に to 不定詞が用いられます。
* □ **pass away**「亡くなる」（die の婉曲表現）
* □ **heart attack**「心臓発作」

❻ Jessica is old enough to know better.

（ジェシカはもういい年なんだから、もっと分かってもよいはずです）

* 〈形容詞／副詞 + enough to *do*〉（〜するのに十分な…）は to 不定詞の副詞的用法の慣用表現です。know better は「もっと分別がある、わきまえている」の意味で、You should know better.（もっと分別があってもいいんじゃないか／君はそんなバカではないはずだ）のように用いられます。

❼ Sarah was too excited to sleep last night.

（サラは昨夜あまりに興奮していて、眠れませんでした）

* 〈too + 形容詞／副詞 + to *do*〉（あまりに…なので〜できない）は to 不定詞の副詞的用法の慣用表現です。この英文は〈so + 形容詞／副詞 + (that) 〜〉（非常に…なので〜）を用いれば、Sarah was so excited that she couldn't sleep last night. に書き換えることができます。

❽ To tell the truth, I haven't told my parents the truth yet.

（実を言うと、両親にはまだ本当のことを話していないんです）

* to tell the truth（本当のことを言うと）は、文全体を修飾する独立不定詞です。重要な独立不定詞として、to be frank (with you)（率直に言うと）、to be honest (with you)（正直に言うと）、to begin with（まず第一に）、so to speak（いわば）、needless to say（言うまでもなく）なども覚えておきましょう。

UNIT 18 動名詞
シャドーイング

❶ Some of my hobbies are playing tennis, skiing and traveling overseas.
(私の趣味をいくつか挙げると、テニス、スキー、海外旅行でしょう)

* 私自身のことをちょっぴり語ってしまいました（笑）。この英文の動名詞は補語として名詞的機能を表しています。

---

❷ I still vividly remember seeing that movie with my boyfriend.
(その映画をボーイフレンドと一緒に見たのを今でもはっきりと覚えています)

* 動名詞の動詞的機能を表しています。seeing は後ろに目的語を取っています。〈remember + 〜ing〉は「〜したことを覚えている」（「過去の行為」に言及）の意味を表します。
☐ **vividly** [vívidli] 副「ありありと、鮮明に」

---

❸ Scott regrets saying harsh things that made his wife cry.
(スコットはきついことを言って妻を泣かせてしまったことを後悔しています)

* 〈regret + 〜ing〉は「〜したことを後悔する」の意味を表します。これも「過去の行為」に言及しているわけです。関係代名詞 that の後の made は、使役動詞の make（〜させる）が過去形になったものです。
☐ **harsh** [háːrʃ] 形「厳しい、辛辣な」

---

❹ The secretary suggested using another conference room next week.
(秘書は来週別の会議室の使用を提案しました)

* 〈suggest + 〜ing〉は「〜することを提案する」の意味を表します。suggest は動名詞のみを取る動詞です。
☐ **conference room**「会議室」

動名詞（〜ing）は「過去志向的」と発想してください。動名詞には名詞的機能と動詞的機能の2つの特徴があります。また、動名詞を含む慣用表現は非常に大切なものが多いので、しっかり覚えておきましょう。

❺ Mr. Green seriously considered accepting the tempting job offer.

（グリーン氏はその魅力的な仕事のオファーの受諾を真剣に考えました）

* 〈consider + 〜ing〉は「〜することをじっくり考える」の意味を表します。consider は動名詞のみを取る動詞です。目的語として動名詞のみを取る動詞として、avoid（避ける）、deny（否定する）、enjoy（楽しむ）、finish（終える）、mind（気にする）、postpone（延期する）なども覚えておきましょう。

☐ **accept** [æksépt]　動「受け入れる」
☐ **tempting** [témptiŋ]　形「魅力的な、心をそそる」

❻ I don't feel like going out anywhere on a rainy day like this.

（こんな雨の日にはどこにも行く気がしません）

* feel like 〜ing（〜したい気がする）は動名詞を含む慣用表現です。

❼ There is no telling what will happen in the future.

（将来何が起こるか誰にも分かりません）

* There is no 〜ing（〜することはできない）は動名詞を含む慣用表現です。〈It is impossible to do〉に書き換え可能です。There is no accounting for tastes.（人の好みは説明できない→蓼食う虫も好き好き）ということわざも覚えておきましょう。

❽ It's no use complaining about the final decision.

（最終決定について文句を言っても仕方がありません）

* It is no use [good] 〜ing（〜しても無駄だ）は動名詞を含む慣用表現です。〈It is useless to do〉に書き換え可能です。It is no use crying over spilt milk.（こぼれたミルクを嘆いても無駄だ→覆水盆に返らず）ということわざも覚えておきましょう。

☐ **complain about 〜**「〜について不平を言う」

UNIT 19 比較
シャドーイング

CD 41

❶ Back in those days, that singer was as famous as Madonna.

（当時、その歌手はマドンナと同じくらい有名でした）

* 〈as ～ as ...〉は「…と同じくらい～」の意味を表します。back in those days（当時は）の back を取って、in those days としても OK です。Madonna [mədánə] の発音に気をつけましょう。

❷ The presentation was not as interesting as I thought it would be.

（そのプレゼンテーションは思っていたほど興味深いものではありませんでした）

* 〈not as/so ～ as ...〉は「…ほど～ではない」の意味を表します。not の後は as と so のどちらを使ってもよいわけですが、as の方がより口語的です。

❸ The population of China is larger than that of India.

（中国の人口はインドよりも多いです）

* 〈比較級 + than ...〉は「…よりも～」の意味を表します。that（指示代名詞）は、前の名詞 the population の繰り返しを避けるために用いられています。

❹ This is without a doubt the most delicious cream puff I've ever had.

（これは間違いなく、私が今まで食べた中で一番おいしいシュークリームです）

* 〈the + 最上級〉は「一番～」の意味を表します。「シュークリーム」は英語では、cream puff [kríːm pʌ́f] と言います。shoe cream なんて言っていたら、「靴墨（クリーム）」になってしまいますよ。

□ **without a doubt**「間違いなく、紛れもなく」

形容詞・副詞の比較表現は、まず基本形（原級、比較級、最上級）をしっかり理解した上で、比較の慣用表現を覚えていくことが重要です。

❺ Please develop this film as soon as possible.

（できるだけ早くこのフィルムを現像してください）

* 〈as ～ as possible〉は「できるだけ～」（= as ～ as *one* can）の意味を表します。この英文は Please develop this film as soon as you can. に書き換えることができます。
□ **develop** [divéləp]　動「現像する」

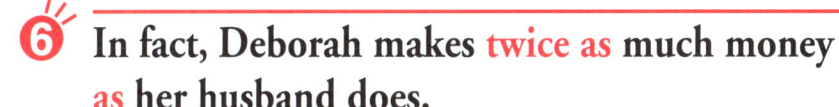

❻ In fact, Deborah makes twice as much money as her husband does.

（実は、デボラは夫の2倍の収入を稼（かせ）いでいます）

* 「…の～倍」は3倍以上の場合、〈～ times as ... as〉で表しますが、2倍の場合は〈twice as ... as〉となります。
□ **in fact**「実は、実際」

❼ The more you practice, the better you will become.

（練習すればするほど上手くなりますよ）

* 〈The + 比較級、the + 比較級〉は「～すればするほどますます…」の意味を表します。この構文を使った決まり文句として、The sooner, the better.（早ければ早いほど良い）や The more, the better.（あればあるだけ良い）、The more, the merrier.（人数が多いほど楽しい→枯れ木も山のにぎわい）、The more one has, the more one wants.（持てば持つほど欲しくなる、欲にはキリがない→隴（ろう）を得て蜀（しょく）を望む）などは日常会話で頻繁に用いられます。

❽ It's getting warmer and warmer day by day.

（日に日に暖かくなってきています）

* 〈比較級 + and + 比較級〉は「だんだん～、次第に～」の意味を表します。
□ **day by day**「日ごとに」

UNIT 20 接続詞 シャドーイング

① Take these tablets, and your constipation will go away soon.
(この錠剤を飲めば、便秘はすぐに治りますよ)

* 〈命令文 + and ...〉は「〜しなさい、そうすれば…」の意味を表します。if 節を使って書き換えると、If you take these tablets, your constipation will go away soon. となります。
- □ **tablet** [tǽblit] 名「錠剤」
- □ **constipation** [kὰnstəpéiʃən] 名「便秘」

② Put your coat or jacket on when you go out, or you will catch a cold.
(出かける時はコートかジャケットを着ないと、風邪を引きますよ)

* 〈命令文 + or ...〉は「〜しなさい、さもないと…」の意味を表します。if 節を使って書き換えると、If you don't put your coat or jacket on when you go out, you will catch a cold. となります。
- □ **put 〜 on**「〜を着る」

③ Once you understand this basic rule, you won't have any further difficulties.
(いったんこの基本ルールを理解してしまえば、後は何も難しいことはありません)

* once は「いったん〜すると」の意味を表します。
- □ **further** [fə́ːrðər]「さらなる」

④ Tomorrow we will go on a picnic unless it rains.
(もし雨が降らなければ、明日私たちはピクニックに出かけます)

* unless は「もしも〜しなければ、〜しない限り」の意味を表します。
- □ **go on a picnic**「ピクニックに行く」

接続詞は、文中の語と語、句と句、節と節を結び付ける働きをします。同等なものを結び付ける等位接続詞（**and, but, or, nor, for** など）と、主節と従属節を結び付ける従位接続詞（**that, if, whether, when, while, as, after, before, since, because** など）に分けられます。

❺ I'll give you a call as soon as I get back from my trip.

（旅行から戻ってきたらすぐにお電話します）

＊〈as soon as〉は「～するとすぐに」の意味を表します。
☐ **get back from ~**「～から戻る」

❻ That trading company is well known both nationally and internationally.

（その商社は国内外でよく知られています）

＊〈both A and B〉は「A も B も、AB いずれも」の意味を表します。
☐ **trading company**「商社、貿易会社」

❼ Either you or Amy has to return the key to the front desk.

（あなたかエイミーのどちらかが、鍵をフロントに返さなければなりません）

＊〈either A or B〉は「A か B かどちらか」の意味を表します。〈either A or B〉が主語になる場合は、動詞は近い方の B に一致させます。

❽ Dr. Nelson's lecture on leadership was neither intriguing nor inspiring.

（リーダーシップに関するネルソン博士の講演は、興味深くもなければ感銘を与えるものでもありませんでした）

＊〈neither A nor B〉は「A でも B でもない」の意味を表します。
☐ **intriguing** [intríːɡɪŋ] 形「興味をそそる」
☐ **inspiring** [inspáiəriŋ] 形「鼓舞する、活気づける」

■ **コラム2**

自分のレベルに合った素材を選びましょう

最初から難しいレベルの素材を選ぶ必要はありません。語彙レベルが高く、スピードも速い生教材（例：ニュース）には全く歯も立たないという人もいるはずです。最初は、簡単な日常会話の本（CD付）で短文、会話文などをシャドーイングすればよいのです。中学、高校時代の教科書とその音源（CDやMP3）を使って練習してもいいですね。短文に慣れてきた人は、徐々に長文に挑戦したり、スピードのより速いものに挑戦したりするとよいでしょう。**自分のレベルに合った素材で、楽しく練習**を続けてください。

第3部 会話シャドーイング

Conversation

第3部では、2人の会話を聞きながら、
シャドーイングの練習を行います。
会話ですから、第1部、2部よりもさらに速いテンポの
リズミカルな英語が聞こえてきます。
あせらずうまくついていけるように、繰り返し練習しましょう。

UNIT 1 あいさつ
シャドーイング

① どうしてる？

A: Hello, Amanda. What's up?
（やあ、アマンダ。どう、変わったことある？）

B: I'm hoping to go skiing this weekend.
（週末にスキーに行こうと思っているんだけどね）

* What's up? は「変わったことある？ どうしてる？」の意味です。What's new? や What are you up to? と同じですね。それに対して「別に変わりないよ」と返答する場合は、Not much. をはじめ、Nothing much. や Nothing special.、Nothing in particular. がよく用いられます。

② 調子はどう？

A: Hi, Denise. How's it going?
（やあ、デニース、調子はどう？）

B: Hi, Dennis. Pretty good. Thanks. And yourself?
（あら、デニス。とても元気よ。ありがとう。あなたの方は？）

* How's it going? は「調子はどう？」の意味です。Denise [dəníːs]（デニース：女性の名前）と Dennis [dénis]（デニス：男性の名前）の発音の違いに気をつけましょう。And yourself? は And you? でも OK です。

③ お元気？

A: How are things with you, Mike?
（元気、マイク？）

B: Not too bad, I guess.
（まあまあかな）

* How are things with you? も How are you?、How are you doing?、How's it going? と同じで「お元気ですか」の意味です。Not too bad. は「まあまあだね」の意味です。これとよく似た Not bad. の方はニュアンスが少しポジティブになり、「結構いいよ」の意味となります。ただし、日本人が大好きな So-so. は「まあまあ」ではなく、「あまり良くない」の意味なので、気をつけましょう。

日常生活に欠かせないあいさつ。決まり文句が多いので、何度も声に出して言ってみましょう。

④ はじめまして

A: Nice to meet you. I've heard a lot about you.
（はじめまして。お噂はかねがね伺っております）

B: Only good things, I hope.
（よい噂だけだったらいいんですが）

＊ I've heard a lot about you. に対して、But don't believe everything they say.（でも、聞いたことをすべて信じないでくださいね）と返せば笑いが取れるかもしれません（笑）。

⑤ おいとまする

A: Well, Tim, I must be going now. Nice to see you again.
（さて、ジョン、もう行かなくちゃ。会えてよかったわ）

B: The feeling is mutual. Take it easy, Emily.
（僕も同感だよ。じゃあね、エミリー）

＊ The feeling is mutual. は「私も同感です、こちらこそ」の意味です。この場合は、Nice to see you again, too. の代わりに使われているわけです。Take it easy. は別れ際の決まり文句で、「では気をつけて、さようなら」の意味です。「テイキリーズィー」のように発音されます。

UNIT 1 あいさつ

❻ 久々の再会

A: Hey, Joyce. Long time no see.
（やあ、ジョイス、久しぶりだね）

B: Hi, Patrick. How've you been?
（あら、パトリック。どうしてた？）

A: Never been better. It's been ages since I last saw you.
（すごく元気だよ。この前会ってからずいぶん経つよね）

＊ Long time no see. はかなりくだけた表現で、「久しぶりだね」の意味です。Never been better. は「絶対にこれ以上はよくならない」ということですから、「最高に元気だよ、めちゃ元気だよ」の意味を表すわけです。It's been ages since ～（～して以来、ずいぶんになる）は、It's been a long time since ～と同じ意味です。

❼ お会いしたことは？

A: Have we met before?
（以前にお会いしたことありましたか）

B: No, I don't think so.
（いいえ、そうは思いませんが）

A: Really? You look familiar.
（そうですか。どこかでお見掛けしたような気がしますが）

＊ You look familiar. の代わりに、Your face looks familiar.（あなたのお顔に見覚えがあるのですが）と言っても OK です。

❽ 仕事の調子はどう？

A: How's business?
（仕事の調子はどう？）

B: Couldn't be worse.
（最悪だよ）

A: Hang in there. I'm sure things will pick up soon.
（頑張って。そのうちきっといい方向に向かっていくわよ）

＊ Couldn't be worse.（最悪だよ）の反対の Couldn't be better.（最高だよ）も一緒に覚えておきましょう。ちなみに関西人なら、How's business?（もうかってまっか？）、Not too bad.（ボチボチでんなあ）なんてやり取りをするんでしょうね（笑）。

❾ 招待のお礼

A: Thank you for having me over.
（お招きいただき、ありがとうございました）

B: My pleasure. Thank you for coming today.
（どういたしまして。今日はおいでくださって、ありがとうございました）

A: I've had a great time.
（とても楽しかったです）

＊ My pleasure.（どういたしまして）は礼を言われた時の返答として用いる決まり文句です。

☐ have ～ over「～を家に招く」

UNIT 2 友達同士の会話
シャドーイング

① 野球を見に行かない？

A: What do you say to going to see a ballgame next Saturday?
（来週の土曜日に野球の試合を見に行かない？）

B: I'd love to, but I'll have to take a rain check.
（そうしたいんだけど、その日は都合が悪いからまたの機会にお願いするわ）

＊〈What do you say to ～ ?〉（～はいかがですか）は勧誘を表す表現です。この to は前置詞なので、to の後には名詞または動名詞が来ます。rain check はもともと「雨天順延券」の意味で、それが転じて take a rain check（～をまたの機会にしてもらう）という慣用句が生まれました。

☐ **ballgame** [bɔ́ːlgèim]　名「野球の試合」

② その通りね

A: Gee, it's muggy today!
（いやあ、今日は蒸し暑いねえ）

B: You can say that again.
（全くその通りね）

＊You can say that again.（あなたのおっしゃる通りです、全くその通りです）は相手の発言に賛成・賛同を表す時に用いる決まり文句です。that の部分を強く発音してください。

☐ **gee** [dʒíː]　間「うわ～、いやあ、参った」（驚き・落胆・苛立ちなどを表す）
☐ **muggy** [mʌ́gi]　形「蒸し暑い」

映画やテレビドラマにも頻繁に出てくる友達同士の会話。よくある場面ばかりなので登場人物になりきってシャドーイングしてみてください。

3 もちろんだよ

A: Do you think it'll keep snowing this afternoon too?
（午後も雪が降り続くと思う？）

B: Oh, yeah, absolutely. Aren't you happy about that?
（そりゃあもう、もちろんだよ。うれしくないの？）

☐ **absolutely** [ǽbsəlúːtli] 副「その通り、絶対に」

4 車で送ってもらえる？

A: Mind if I ask you to give me a ride today?
（今日家まで車で送ってもらえるかしら？）

B: No problem. You can count on me.
（いいよ。任せて）

＊ Mind if 〜? は「〜してもかまわない？」という意味です。文頭に Do you が省略されているわけですね。Mind if の部分は「マインディフ」と発音されます。You can count on me. は「任せて、当てにしていいよ」の意味の決まり文句です。

☐ **give 〜 a ride**「〜を車で送る」

5 ここだけの話

A: Thank you, Judy, for sharing that with me.
（ジュディー、そのことを僕に話してくれてありがとう）

B: But Roy, don't let it out of this room, okay?
（でもロイ、ここだけの話にしておいてね、いい？）

＊ Don't let it out of this room.（ここだけの話にしておいてください）の代わりに、This is just between you and me. や Please keep it between ourselves. を用いることも可能です。

☐ **share A with B**「A を B と分かち合う、A を B に話す」

UNIT 2 友達同士の会話

⑥ 評判はどう？

A: Have you been to the Chinese restaurant over there?
（あそこの中華レストランに行ったことある？）

B: No, not yet. Have you?
（いいえ、まだだけど。あなたはどう？）

A: Yes, last Friday. It was a fancy place.
（うん、先週の金曜日に行ったんだ。とても高級なお店だったよ）

☐ **fancy** [fǽnsi]　形「高級な、豪華な」

⑦ なるほど

A: Chad, how often do you work out at the gym?
（チャド、スポーツジムでのトレーニングにはどのくらい行ってるの？）

B: Maybe, three times a week. Sometimes four times.
（週に3回くらいかなあ。時に4回とか）

A: No wonder you look very fit.
（なるほど、それでとても元気そうなんだね）

＊ No wonder ～は「なるほど～なわけだ、～も不思議ではない」の意味です。文頭には It's が省略されているわけです。

☐ **work out**「トレーニングする、運動する」
☐ **fit** [fít]　形「健康な、元気な」

⑧ 待たせてごめんね

A: Pamela, I'm sorry to have kept you waiting.
（パメラ、待たせちゃってごめんね）

B: Do you know I've waited an awful long time? Over an hour!
（私がすごく長い時間待っていたの知ってるの？１時間以上もよ！）

A: I deeply apologize. I won't let it happen again.
（本当にごめん。もう二度とないように気をつけるから）

＊ I'm sorry to have kept you waiting.（お待たせしてすみません）は人を待たせた時によく用いる謝罪表現です。I won't let it happen again. の代わりに、I promise it'll never happen again. と言うことも可能です。

☐ **awful** [ɔ́ːfəl] 形「大変、ひどい」
☐ **apologize** [əpάlədʒàiz] 動「謝る」

⑨ どうしたの？

A: What's wrong with you? You look pale.
（どうしたの？　顔色が悪そうだけど）

B: Well, I've been feeling a little under the weather today.
（うーん、今日は少し体調が悪くてね）

A: You should just go home and rest.
（すぐに家に帰って休んだ方がいいわよ）

＊ What's wrong with you?（どうしたのですか）は、相手の異常を察した時などに用いる決まり文句です。under the weather は「体の具合が良くない」の意味の熟語です。rest は take a rest に言い換え可能です。

☐ **pale** [péil] 形「青ざめた、青白い」
☐ **rest** [rést] 動「休む、眠る」

UNIT 3 親子の会話
シャドーイング

① 遠慮しておくよ

A: Albert, would you care for some chocolate-chip cookies?
（アルバート、チョコチップクッキーはどう？）

B: Thanks, but no thanks. My stomach is full now, perhaps a little later.
（ありがとう、でも今はいいよ。お腹が一杯だから、もう少し後にするよ）

＊ Thanks, but no thanks.（ありがとうございます、でも遠慮いたします）は相手の申し出を断る際に用いる丁寧な表現です。いきなり No thanks.（結構です）と言うよりは、気配りがあって温かい感じがしますよね。

□ **care for ～**「～が欲しい、～を好む」（疑問文・否定文で用いる）

② どういう意味？

A: Jenny, what do you think about today's young people?
（ジェニー、最近の若者をどう思う？）

B: What do you mean, Dad?
（どういう意味、お父さん？）

＊ What do you mean?（どういう意味ですか）は相手の質問の意図がはっきりと分からない時、もっと具体的にどういう意味かを聞きたい時に用いる決まり文句です。「～はどういう意味ですか」と聞きたい場合には、What do you mean by ～? と尋ねてみましょう。例 What do you mean by that?（それはどういう意味ですか）

何でも言いたいことを言えるのが親子の会話。でもその中に少し思いやりの気持ちを表現することが必要な時もありますね。

❸ あきれる

A: Have you seen my glasses, Kari? I wonder where I left them.
（キャリー、私のメガネを見かけなかったかい？　どこに置いたのかなあ）

B: Not again! Did you lose them again?
（またなの！　またなくしちゃったの？）

＊ Not again! は「やだなぁまたかよ、もうまたなの」の意味です。あきれた感じで発音してみましょう。

☐ **glasses** [glǽsiz] 名「メガネ」（複数扱い）

❹ おめでとう！

A: Dad, look. I got a 97 on my math exam.
（お父さん、見て。私、数学の試験で 97 点取ったわよ）

B: Congrats, Becky. I'm proud of you, daughter.
（おめでとう、ベッキー。さすが自慢の娘だ）

＊ Congrats. は Congratulations.（おめでとう）の短縮形で、インフォーマルな表現です。

☐ **be proud of ～**「～を自慢に思う、誇りに思う」

❺ それは初耳

A: Mom, did you know Kate is getting married?
（お母さん、ケイトが結婚するって知ってた？）

B: Are you serious? That's news to me.
（本当に？　それは初耳だわ）

＊「それは初耳だ」は That's news to me. の他、That's a new one for me. や I've never heard of that. と言うこともできます。

☐ **get married**「結婚する」

UNIT 3 親子の会話

❻ なんで？…ずるいよ！

A: Peter, don't forget to take out the trash, okay?
（ピーター、忘れずにゴミを出しておいてね、わかった？）

B: That's not fair, Mom. How come it's always me?
（お母さん、それはずるいよ。なんでいつも僕なの？）

A: Your sister did it last week.
（お姉さんは先週やったわよ）

＊ That's not fair. は「それは不公平だ、それはずるい、それは卑怯だ」の意味の決まり文句です。How come 〜は、Why 〜と同じく「なぜ、どうして」の意味ですが、語順は Why の場合とは違って、〈How come + S（主語）+ V（動詞）〉となることに注意しましょう。

☐ **trash** [træʃ] 名「ゴミ」

❼ 心配しないで

A: Do you have a date with Fred tonight?
（今夜はフレッドとデートかい？）

B: Yes, I'll be home by 10. Don't worry, Dad.
（そうよ、10時までには帰ってくるわ。心配しないで、お父さん）

A: I won't. You always get back by your curfew.
（心配はしないよ。お前はいつもちゃんと門限を守っているしな）

☐ **have a date with 〜**「〜とデートする、〜と会う約束がある」
☐ **curfew** [kə́ːrfjuː] 名「門限」

⑧ 友達のお父さんの職業は？

A: Jerry said his dad comes home late every night.
（ジェリーが言ってたけど、彼のお父さんは毎晩遅く家に帰ってくるんだって）

B: Why? What does he do for a living?
（どうしてなの？　仕事は何をされてるの？）

A: He's a security guard.
（警備員だよ）

＊相手の職業を聞く時に、What do you do for a living? と言いますね。この living は「生計、暮らし」の意味ですが、for a living を略して、What do you do? と言ってもかまいません。ただし、What's your job? や What's your occupation? は唐突で失礼な言い方になりますので、本人に面と向かっては使わない方がよいでしょう。もちろん、第三者のことについて話をしている時には、What's his job? や What's her occupation? はまったく問題ありません。

☐ **security guard** [sikjúərəti gà:rd]「警備員、ガードマン」

⑨ 仕方ないよ

A: Dad, why did you take so long?
（お父さん、どうしてそんなに時間がかかったの？）

B: I was caught in a traffic jam. I couldn't help it.
（交通渋滞に巻き込まれたんだよ。仕方がなかったんだ）

A: You should have called me on my cell.
（私の携帯に電話してくれればよかったのに）

＊I couldn't help it. は「仕方がなかったんです」の意味です。受動態を使って、It couldn't be helped. と言うこともできます。〈should have + 過去分詞〉は「～すべきだった（のにしなかった）」の意味でしたね。

☐ **traffic jam**「交通渋滞」
☐ **cell** [sél] 名「携帯電話」(= cellphone)

UNIT 4 見知らぬ人との会話
シャドーイング

CD 46

❶ 道順を尋ねる

A: Excuse me. Could you tell me how to get to the station?
（すみません。駅に行く道を教えていただけますか）

B: Sure. You just go straight for about five minutes.
（いいですよ。この道を5分程まっすぐに行くだけです）

□ go straight「真っすぐに進む」

❷ 場所を尋ねる

A: Excuse me. Is there a gas station around here?
（すみません。この辺りにガソリンスタンドはありますか）

B: Yes. There's one two blocks down the street.
（ええ。この通りを2ブロック行ったところに1つありますよ）

＊ one は a gas station（ガソリンスタンド）のことを指していますね。

□ block [blák] 名「ブロック、街区」

見知らぬ人との会話では道順、乗り物や場所について尋ねることが大半。丁寧な質問の仕方と相手からの情報を確実に聞き取ることが大切です。

③ 空港の手荷物取扱所にて

A: Shall I get your bags for you, ma'am?
（奥さん、かばんを取ってあげましょうか）

B: Oh, that's very kind of you.
（ご親切に、ありがとうございます）

＊ ma'am [mǽm] は madam の省略形で面識のない女性に対する改まった呼びかけで、「奥様、お嬢さん」の意味を表します。反対に男性の場合は、sir でしたね。

④ エレベーターから降りる

A: Excuse us. Coming through.
（すみません。通してください）

B: Oh, sorry. I'll move over.
（あら、ごめんなさい。ちょっとよけます）

＊ Excuse us. は自分と連れを代表して、「すみません」と言う場合に用います。自分一人だけの場合は、もちろん Excuse me. です。Coming through. は「通してください、道を開けてください」の意味の決まり文句です。

☐ **move over**「脇へどく、移動する」

⑤ 救急車を呼んで

A: What happened? Need my help?
（どうしたんですか。助けが必要ですか）

B: Yes, someone got seriously injured. Please call an ambulance.
（はい、重傷を負った人がいます。救急車を呼んでください）

＊ seriously は badly に言い換え可能です。アメリカでは緊急時の通報先は、救急・消防・警察全部共通で「911」です。イギリスでは、全部「999」です。覚えておきましょう。

☐ **ambulance** [ǽmbjuləns] 名「救急車」

UNIT 4 見知らぬ人との会話

⑥ 私も知らないんです

A: Pardon me, do you happen to know where the post office is?
(すみませんが、郵便局がどこにあるかご存知でしょうか)

B: Sorry, I don't know. I'm a stranger here myself.
(すみません、知らないんですよ。私もこの辺りは不案内なんです)

A: Oh, really? Thanks anyway.
(あっ、そうなんですか。とにかくありがとうございました)

* Pardon me, ～は人を呼び止める時には「すみませんが、失礼ですが」(= Excuse me, ～)の意味を表します。聞き返す時には上昇調で、Pardon me?(もう一度言っていただけますか)と言います。Thanks anyway.(いずれにしてもありがとうございました)の代わりに、Thanks all [just] the same. を用いることもできます。

⑦ 道に迷った

A: Ma'am, are you lost by any chance?
(奥様、ひょっとして道に迷っておられるのですか)

B: Yes, I have no idea where I am now.
(ええ、ここがどこなのかまったくわかりませんの)

A: Where is it that you are going?
(行こうとなさっているのはどちらですか)

* Where is it that ～? の英文は疑問詞を強調する構文で、〈疑問詞 + is it that ～?〉の形となります。他の疑問詞を用いて、What was it that he broke?(彼が壊したのは何ですか)や Why is it that you don't like her?(彼女を好きでないのはなぜですか)のように自由に英文を作る練習をしてみましょう。

☐ **by any chance**「ひょっとして、もしかして」

⑧ 距離を尋ねる

A: Excuse me, but how far is it from here to city hall?
(すみませんが、ここから市役所までどのくらいの距離ですか)

B: About three miles. If you walk, it should take an hour or so.
(約3マイルです。歩けば、1時間くらいかかるはずです)

A: Really? Maybe I should take a bus or a taxi. Thanks.
(本当ですか。バスかタクシーに乗る方がいいかもしれませんね。ありがとうございました)

＊〈How far ～ ?〉は「距離、程度」を尋ねる疑問文です。or so（～そこら、～くらい）は数字と一緒に用います。⑳ 5 minutes or so（5分そこら）、5 or so questions（5つくらいの質問）

☐ **city hall**「市役所」

⑨ 席空いてます？

A: Excuse me, is this seat taken?
(すみません、この席は空いてますか)

B: No, go ahead.
(はい、どうぞ)

A: Oh, thank you.
(あっ、どうも)

＊ taken を occupied や available に言い換えても OK です。Is this seat taken? の代わりに、Is anyone [someone] sitting here? や May [Can] I sit here? と言うことも可能です。また、No, go ahead. の代わりに、No, you can take it. と言ってもいいですね。

UNIT 5 キャンパスでの会話
シャドーイング

❶ レポートの締切日は？

A: When is your paper due?
（あなたのレポートの締め切りはいつなの？）

B: Next Monday. That's why I'm desperately working on it.
（来週の月曜日だよ。だからこそ、今必死で取り組んでいるんだ）

＊ When is your paper due? の due は「期限が来て、返済期日の来た、〜する予定である」などいろいろな意味を持つ形容詞です。When is the next payment due?（次回の支払い期日はいつですか）や When is the baby due?（出産予定日はいつですか）のようにも使います。

☐ **desperately** [déspərətli] 副「必死に、懸命に」
☐ **work on 〜**「〜に取り組む」

❷ パーティーへの誘い

A: Craig Hall is having a TGIF party next Friday. Let's go together.
（クレイグホールで来週の金曜日に TGIF パーティーが開かれるよ。一緒に行こうよ）

B: Why not? Sounds like a lot of fun.
（いいわよ。とても楽しそうね）

＊ Craig Hall はキャンパス内の学生寮です。そこで TGIF パーティーが開かれるというわけです。TGIF は "Thank God, it's Friday!"（やった！金曜日だ）の略語です。よって、TGIF party とは「金曜日の夜のパーティー、花金パーティー」のことを指します。Why not? は「もちろん、いいよ、喜んで」の意味で、相手の申し出・依頼に対して承諾を表す時に用いる慣用表現です。

大学構内で交わされる会話にも、よく使われる単語や表現があります。学業や学生生活に関する語彙は大切なので覚えておきましょう。

❸ 履修登録はいつまでに？

A: By when do we have to register for the new courses?
（新しいクラスの履修登録はいつまでにしなければいけないのかなあ？）

B: You don't remember? That isn't like you.
（覚えてないの？　あなたらしくないわねえ）

＊ That isn't like you. は「あなたらしくない」の意味の決まり文句です。

☐ **register for ~**「~に登録する」

❹ 宿題がたいへん！

A: Don't you think Professor Cole overloads us with homework?
（コール教授って私たちに宿題の負担をかけすぎていると思わない？）

B: You said it. Overwhelming, isn't it?
（本当にそうだね。半端じゃないよね）

＊ You said it. は You can say that again. と同じで「あなたのおっしゃる通りです、全くその通りです」の意味の決まり文句です。

☐ **overload A with B**「B で A に負担をかけすぎる」

❺ クラスはうまくいってる？

A: How's everything going with your classes this semester?
（今学期のクラスは順調にいってる？）

B: Yeah, so far so good, except for my philosophy class.
（うん、哲学の授業を除けば、とりあえずうまくいってるよ)

＊ So far so good. は「ここまでは順調だ」の意味の決まり文句です。

☐ **semester** [siméstər] 名「学期」　　☐ **philosophy** [filásəfi] 名「哲学」

第 3 部　会話シャドーイング

UNIT 5 キャンパスでの会話

❻ 教授に相談する

A: Professor Morris, there's something I'd like to talk to you about my thesis.
(モリス教授、私の論文のことで少しお話ししたいことがあるのですが)

B: Okay, but I'm tied up at the moment. I'll be available around this time tomorrow, though.
(いいんだけど、今は手が離せないんだ。明日の今頃であれば、対応できるんだけどねえ)

A: All right. I'll come back tomorrow.
(わかりました。では明日またお伺いいたします)

* I'm tied up at the moment.(今忙しい、手がふさがっている)の代わりに、I've got my hands full right now. や I'm very busy now. などを用いることも可能です。

☐ **thesis** [θíːsis] 名「論文」
☐ **available** [əvéiləbl] 形「手があいている、会うことができる」

❼ 欠席の理由は？

A: Jeff, you've missed my class three times in a row. What's been going on with you?
(ジェフ、あなたは私のクラスを3回連続で休みましたね。どうしてたんですか)

B: I just overslept, Dr. Parker.
(ただの朝寝坊でした、パーカー博士)

A: You'd better grow up! You're not a little kid anymore.
(大人になりなさいよ。もう子供じゃないんだから)

* Grow up!(大人になれ！)はいい年をした若者に向かって諭す時によく使う決まり文句です。「目を覚ませ！」と訳してもよいかもしれません。not 〜 anymore は「もう〜ない、もはや〜しない」の意味です。

☐ **in a row**「連続して、立て続けに」
☐ **oversleep** [òuvərslíːp] 動「寝過ごす、寝坊する」
(活用は oversleep-overslept-overslept)

⑧ 卒業後の進路

A: Hey, Paula, did you hear that Gordon was accepted by Harvard Law School?
(おい、ポーラ、ゴードンがハーバード大学法学大学院に合格したって聞いた？)

B: No kidding! What do you know! Good for him.
(うそでしょ！　びっくりだわ！　よかったわねえ)

A: Yeah, I'm happy that his efforts have paid off.
(うん、彼の努力が報われて僕も嬉しいよ)

＊ No kidding!（まさか冗談でしょ！　まじ〜っ！）は驚きを表す表現です。kidding は「キリン」のように聞こえます。What do you know! も驚きを表す表現で、「それは知らなかった、それは驚いた、すばらしいじゃないか」の意味を表します。反語的なニュアンスを持つ What do you know?（何も知らないくせに、あなたには言われたくないわ）と区別して覚えておきましょう。

☐ **pay off**「報われる、うまくいく」

⑨ 成績が心配

A: Professor Bell, I'm sorry to bother you.
(ベル教授、お忙しいところ申し訳ございません)

B: Oh, don't worry. What can I do for you?
(ああ、心配しないで。どういう用件かな？)

A: Actually, I've been concerned about my mid-term exam grade.
(実は、中間試験の成績のことがずっと気になっていたんです)

＊ I'm sorry to bother you. は「お忙しいところをお邪魔してすみません」の意味の決まり文句です。Sorry to bother you, but 〜（お邪魔して申し訳ございませんが、〜）の形でもよく使います。

☐ **be concerned about 〜**「〜について心配する」
☐ **mid-term exam**「中間試験」
☐ **grade** [gréid] 名「成績、評価」

UNIT 6 会社での会話
シャドーイング

① 率直な意見

A: How do you like our new website, Tony?
（トニー、我が社の新しいホームページはどう？）

B: To be honest with you, I don't like it a bit.
（率直に言って、全然いいとは思わないね）

* I don't like it a bit. の〈not ~ a bit〉は「まったく~ない、少しも~ない」の意味の熟語です。

☐ **to be honest with you**「率直に言って、実は」
☐ **website** [wébsàit] 名「ウェブサイト、ホームページ」

② へとへとに疲れた

A: Let's call it a day. I'm beat.
（今日はこれでおしまいにしよう。へとへとに疲れたよ）

B: Me too. We can do the rest tomorrow.
（私もよ。残りは明日仕上げればいいしね）

* Let's call it a day. は「今日の仕事はもう終わりにしよう、今日はこれで切り上げよう」の意味の決まり文句です。day を night に変えて、Let's call it a night. と言うこともあります。I'm beat. は「疲れ切ったよ、へとへとだよ、もうくたくただ」の意味です。beat の前に dead を入れて、I'm dead beat. と言うこともあります。

③ 社内のうわさ話

A: Word is out that Mr. White is leaving our company in a few months.
（うわさによると、ホワイト氏は数カ月のうちに退社するそうだ）

B: It seems that way, doesn't it?
（そうらしいわね）

* Word is out that ~ は「うわさによると、~」の意味です。同じ意味を表す Rumor has it that ~ と一緒に覚えておきましょう。

会社内での会話には、上司と部下とのやりとりや同僚同士の雑談などさまざまなものがあります。be snowed under with work（仕事に追われている）、timewise（時間的には）などの口語表現に慣れましょう。

❹ 故障？

A: Shirley, could you help me with the shredder? It's not working properly.
（シャーリー、このシュレッダーだけどちょっと助けてもらえるかい？ うまく作動してないんだ）

B: It's on the blink. I hear the repairman is coming this afternoon.
（それ、故障しているの。午後から修理の人が来るそうよ）

＊〈help + 人 + with + 事〉（人の〜を手伝う）に慣れておきましょう。例 Can you help me with my homework?（私の宿題を手伝ってくれますか）。on the blink は「調子が悪くて、故障して」の意味の熟語です。

☐ **shredder** [ʃrédər]　名「シュレッダー」
☐ **properly** [prápərli]　副「適切に、正しく」
☐ **repairman** [ripέərmæn]　名「修理屋、修理人」

❺ 仕事に追われて

A: Seems like you're working like crazy, Diane.
（すごい勢いで頑張ってるみたいだねえ、ダイアン）

B: Isn't it obvious? I'm completely snowed under with work.
（見ればわかるでしょ？　仕事に追われてアップアップの状態なんだから）

＊ be snowed under with work は「仕事に追われて大変である、処理できないほどの仕事に埋もれている」の意味の熟語です。with work の部分は分かりきったことなので、省略して I'm snowed under. と言っても構いません。

☐ **like crazy**「猛烈に、死に物狂いで」

UNIT 6 会社での会話

❻ 報告書はまだ？

A: Irene, have you finished the report I asked you about yesterday?
（アイリーン、昨日君に頼んだ報告書はもう完成したかい？）

B: Yes. But before I give it to you, can I check for typos?
（はい。ただお渡しする前に、誤植をチェックしてもよろしいでしょうか）

A: Sure thing. Let me look it over sometime this afternoon.
（もちろんだよ。今日の午後にでも目を通させて欲しいんだ）

* typo [táipou] とは「誤字、誤植」のことです。「誤植」は少し難しい語になりますが、typographic error や typographical error とも言います。Sure thing. は「もちろん、いいとも」の意味の決まり文句です。

□ **look over ~**「~に一通り目を通す」

❼ ロンドン出張

A: Hey, Jack. How was your business trip to London?
（やあ、ジャック。ロンドンへの出張はどうだった？）

B: Oh, it was great. I went there for the first time in twenty years, you know.
（ああ、よかったよ。20年ぶりに行ったからねぇ）

A: I bet it must have brought back old memories.
（昔の懐かしい思い出がよみがえってきたでしょうね）

* for the first time in ~ は「~のうちで初めて」ということですから、「~ぶりに」の意味となります。I bet ~ は「きっと~だ」の意味です。I'm sure ~ と同じですね。〈must have + 過去分詞〉は「~したに違いない」の意味でしたね。

□ **bring back ~**「~を思い出させる、呼び覚ます」

❽ 人員削減の厳しい現実

A: Many companies are downsizing their employees, aren't they?
（多くの会社が人員削減を行っているわね）

B: Yeah. Given the economy, there is no choice, right?
（うん。経済がこれだから、仕方がないってところかな？）

A: Right. It might sound cruel, but that's the way it is.
（そうね。酷な言い方に聞こえるかもしれないけど、それが現実なのよね）

＊前置詞としての given は「〜を考慮すると」（＝ considering）の意味を表すので、Given the economy は「（今の）経済を考慮すると」くらいの意味になります。他の用例として、given the place（場所が場所だから）、given the time（時が時だから）、given the situation（状況が状況だから）などにも慣れておきましょう。There is no choice. は「仕方がない、選択の余地がない」、That's the way it is. は「それが現実だ、世の中そんなものだ」の意味の決まり文句です。

☐ **downsize** [dáunsàiz]　動「（リストラのために）〜を削減する」
☐ **cruel** [krúːəl]　形「残酷な、非情な」

❾ 草案はいつまでに？

A: Mr. Morgan, how soon do you need a draft?
（モーガンさん、どのくらい早く草案を必要とされますか）

B: Well, I'd appreciate it if you could get it ready by next Wednesday.
（そうだなあ、来週の水曜日までに用意してもらえればありがたいんだけど）

A: All right. Timewise that'd be perfectly fine.
（承知しました。それなら時間的にまったく問題ございません）

＊I would appreciate it if you could [would] 〜（〜していただければ幸いです）の丁寧な依頼表現は非常に重要なので、何度も音読して覚えておきましょう。timewise の接尾辞 -wise は名詞に付いて「〜に関しては、〜的には、〜の面では」などの意味を表す副詞になります。使用頻度の高い例として、pricewise（価格の面では）、budget-wise（予算的には）、size-wise（サイズ的には）などが挙げられます。しかし、あまり乱用しない方が無難です。

☐ **draft** [drǽft]　名「草案、草稿、たたき台」
☐ **get 〜 ready**「〜を用意する、準備する」

UNIT 7 ビジネスの会話
シャドーイング

CD 49

❶ お礼を言う

A: Thank you very much for your time today.
（本日はお時間を割いていただきまして、ありがとうございました）

B: Likewise. I'm very glad to have had a chance to talk with you.
（こちらこそ。お話しできて本当によかったです）

＊ Likewise. は相手に対して同意を表す場合、「こちらもです、同様です」の意味になります。I'm very glad to have had a chance ～には完了不定詞が使われています。〈to have + 過去分詞〉を用いることにより、文の述語動詞の示す時よりも以前の時を表しているわけです。

❷ 相手の会社について尋ねる

A: In what year was your company established?
（御社は何年に創立されたのですか）

B: It was founded in 1912, almost a century ago.
（1912年の設立ですから、もう1世紀も前のことになります）

＊ establish と found は共に「～を設立する、創立する」の意味の動詞です。

□ **century** [séntʃəri]　名「1世紀」

❸ 面会の約束

A: Good morning. I'm Victor Wood. I have an appointment with Mr. Lee at 11 o'clock.
（おはようございます。ヴィクター・ウッドと申します。リーさんと11時に会うお約束をしているのですが）

B: Yes, Mr. Wood. Mr. Lee is expecting you. Come this way, please.
（はい、ウッド様。リーさんはお待ちですよ。こちらへどうぞ）

会社内の雑談とは異なり、取引先や顧客に対してはより丁重な表現が必要になります。Could you ~?、Would you ~?（~していただけないでしょうか）や、I'd really appreciate it.（心より感謝いたします）などは自然にスラスラと言えるようにしましょう。

* appointment（人と会う約束、面会の予約）は重要単語です。make an appointment（人と会う約束をする）、cancel an appointment（面会の約束を取り消す）、keep an appointment（人と会う約束の時間を守る）などの表現もよく聞きますね。〈be expecting 人・事〉は「~が来るのを（期待して）待つ」の意味です。ただし、She is expecting.（彼女は妊娠している）や She is expecting a baby.（彼女は出産を控えています）とは意味が異なるので、要注意です。

❹ 話題を変える

A: Not to change the subject, but have you ever heard of URS Corporation?
（話は変わりますが、URS 社をご存知ですか）

B: Yes. As a matter of fact, I've done business with them before.
（はい。実は、以前彼らと商取引を行ったことがございます）

* Not to change the subject, but ~（話は変わりますが、~）は会話を円滑に進めるのに非常に便利な表現なので、覚えて使ってみましょう。

☐ **as a matter of fact**「実は、実のところ、実際」
☐ **do business with ~**「~と取引をする、ビジネスを行う」

❺ 新商品の紹介

A: Our new product is much better than our competitors'.
（我が社の新商品は他社のよりもずっといいですよ）

B: Could you be more specific?
（もっと具体的に話していただけますか）

*「もっと詳しく説明していただけますか」であれば、Could you explain it in more detail? のように言えば OK です。

☐ **competitor** [kəmpétətər] **名**「競合他社、競争業者」

UNIT 7 ビジネスの会話

❻ 価格についての交渉

A: I'd like a better price.
（もう少し価格を下げていただきたいのですが）

B: Well, this is the best offer we can give you.
（まあ、我が社としてはこれでぎりぎりなのですがねぇ）

A: Would you concede a little more?
（もう少し譲歩していただけないでしょうか）

* This is the best offer we can give you. は「これは我々がオファーできるぎりぎりの価格です」という意味です。offer と we の間に関係代名詞 that を入れて考えると分かりやすいかもしれません。

☐ **concede** [kənsíːd] 動「譲歩する」

❼ 前向きに努力する

A: Could you recommend a reliable market analyst by the end of this week?
（今週末までに信頼できる市場アナリストを紹介していただけますか）

B: Well, I don't know if I can manage but I'll do what I can.
（そうですねぇ、できるかどうか分かりませんが、なんとか頑張ってみます）

A: I'd really appreciate it. That means a lot to me.
（心より感謝いたします。とても助かります）

* I'll do what I can. は「前向きにできる限りのことはしてみる」というニュアンスを含む表現なので、「できることはやってみます、なんとか頑張ってみます、やるだけやってみます」のような意味になります。mean a lot to ～は「～にとって重要である、大事である」の意味です。mean の前には人が来ることもあります。例 You mean a lot to me. (君は僕にとって本当に大切な人です)

☐ **recommend** [rèkəménd] 動「推薦する、勧める」
☐ **reliable** [riláiəbl] 形「信頼できる、当てになる」
☐ **market analyst** [máːrkit ǽnəlist]「市場アナリスト」

❽ 国際的ですね

A: Mr. Okada, do you have this brochure in English too?
（岡田さん、このパンフレットの英語版もお持ちですか）

B: Yes, I do. In fact, we have one in Chinese as well.
（はい、持ってますよ。実は、弊社には中国版もあるんですよ）

A: Wow, your company is going international.
（うわっ、すごいですね。御社は国際的になっていますね）

＊ as well は too と同じで「～もまた」の意味です。one は前述の brochure を指しています。go international は「国際的になる、国際化する」の意味です。

☐ **brochure** [brouʃúər] 名「パンフレット、冊子」
☐ **in fact**「実は、実を言うと」

❾ ご質問は？

A: Are there any other questions I can answer?
（他に質問はございますでしょうか）

B: Not particularly now.
（今はもう特にございません）

A: If there're any further questions, please feel free to contact me again.
（もしさらにご質問などございましたら、またご遠慮なくご連絡ください）

＊〈feel free + to 不定詞〉は「遠慮なく～する、自由に～する」の意味を表します。
　例 Feel free to call me anytime.（いつでも遠慮なく電話してね）

☐ **particularly** [pərtíkulərli] 副「特に、とりわけ」
☐ **further** [fə́ːrðər] 形「さらなる」

UNIT 8 旅行中の会話
シャドーイング

❶ 現地時間を聞く（機内で）

A: Excuse me, could you tell me what time it is now in Seattle?
（すみませんが、シアトルは今何時か教えていただけますか）

B: Let's see, it's 3:30 p.m. local time.
（ええっとですねえ、現地時間は午後 3 時 30 分です）

* Let's see（= Let me see）は「ええっと、うーんと」の意味です。local time（現地時間）の local [lóukəl] は「ローカル」ではなく、「ローコー」のように発音されます。

❷ 毛布をください（機内で）

A: May I have another blanket?
（毛布をもう 1 枚いただけますか）

B: Certainly. I'll bring one in a minute.
（かしこまりました。すぐにお持ちいたします）

* in a minute（すぐに）は、「イナミニット」のように発音されます。one はもちろん blanket のことです。

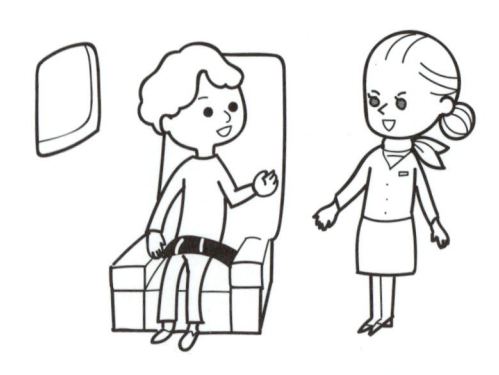

☐ **blanket** [blǽŋkit]　名「毛布」

海外旅行や出張で必ず経験するのが、空港や機内、ホテルでの会話。定番の会話表現がほとんどですから、シャドーイングしながらどんどん覚えてしまいましょう。

❸ 座席を元の位置に（機内で）

A: Could you please put your seat in the upright position?
（座席を元の位置に戻していただけますか）

B: Oh, sorry. I didn't notice that.
（あっ、すみません。気づいてませんでした）

＊ upright は「直立した、垂直の」の意味の形容詞です。in the upright position で「立位で」の意味を表します。

☐ **notice** [nóutis] 動「気づく」

❹ パスポートを見せる（入国審査で）

A: May I see your passport and immigration card?
（パスポートと入国カードを見せてもらえますか）

B: Sure, here you are.
（ええ、はいどうぞ）

＊ immigration card [iməgréiʃən kà:rd]（入国カード）は disembarkation card [disemba:rkéiʃən kà:rd] とも言います。embarkation card [emba:rkéiʃən kà:rd]（出国カード）も一緒に覚えておきましょう。

❺ 到着空港の税関で

A: Do you have anything to declare?
（申告するものはございますか）

B: Yes, I have a bottle of whiskey.
（はい、ウイスキーが1本あります）

＊ Do you have anything to declare? は、もっと簡単に Anything to declare? と聞かれることもあります。申告するものがない時には、No, nothing.（いいえ、ありません）や No, I have nothing to declare. と答えます。

☐ **declare** [dikléər] 動「申告する」
☐ **whiskey** [hwíski] 名「ウイスキー」

UNIT 8　旅行中の会話　シャドーイング

❻ 入国目的は？（入国審査で）

A: What's the purpose of your visit?
（入国目的は何ですか）

B: Sightseeing.
（観光です）

A: Are you traveling alone?
（一人旅ですか）

＊ Sightseeing. の代わりに、Pleasure.（娯楽です、遊びです）や Leisure.（余暇です）と言ってもほとんど同じ意味を表します。

☐ **purpose** [pə́ːrpəs]　名「目的」

❼ 滞在期間は？（入国審査で）

A: How long are you going to stay?
（滞在期間はどれくらいですか）

B: For two weeks.
（2週間です）

A: Where are you going to stay?
（滞在先はどちらですか）

⑧ チェックイン（ホテルで）

A: I'd like to check in, please.
（チェックインをお願いします）

B: Do you have a reservation, sir?
（ご予約はなさってますか）

A: Yes, under the name of Setten.
（はい、セトンの名前で予約をしています）

* reservation [rèzərvéiʃən]（予約）は重要単語です。make a reservation（予約をする）、cancel a reservation（予約を取り消す）、confirm a reservation（予約を確認する）などの表現もよく聞きますね。

☐ **check in**「チェックインする」
☐ **under the name of ～**「～という名前で」

⑨ モーニングコール（ホテルで）

A: Could you give me a wake-up call at a quarter to seven tomorrow morning?
（明日の朝7時15分前にモーニングコールをお願いできますか）

B: Certainly, ma'am.
（かしこまりました）

A: That'd be great. Thank you.
（助かります。ありがとうございました）

* quarter [kwɔ́ːrtər] は「15分」のことですから、at a quarter to seven は「7時15分前」つまり「6時45分」を意味します。

☐ **wake-up call** [wéikʌp kɔ̀ːl]「モーニングコール」

UNIT 9 外食・買い物の会話
シャドーイング

CD 51

① お肉の焼き具合は？

A: How would you like your steak, sir?
（ステーキの焼き具合はいかがいたしましょう？）

B: Well-done, please.
（ウェルダンでお願いします）

＊ステーキの焼き加減は実際には7段階あるそうですが、通常はrare（レア）、medium-rare（ミディアム・レア）、medium（ミディアム）、well-done（ウェルダン）のうちから自分の好みを選び、server（給仕人）に伝えればよいでしょう。

② お済みですか？

A: Are you finished with your salad?
（もうサラダはお済みになりましたか）

B: Not yet. I'm still working on it.
（まだです。まだ食べている最中です）

＊Are you finished with ～?（もう～はお済みですか）と一緒にAre you finished here?（お下げしてもよろしいですか）も覚えておきましょう。「まだ食べている途中です」は、I'm still eating. と言っても全く問題ありませんが、この際、もっとカッコいい表現のI'm still working on it. を覚えて得意げに使っちゃいましょう！

レストランやお店でのスタッフや店員との会話には、定番のスタイルがたくさんあります。覚えて使えるようになれば、会話もさらに楽しくなるでしょう。

③ お飲み物はいつ？

A: Would you like your coffee before or after your meal?
（コーヒーは食前と食後のいつお持ちいたしましょうか）

B: After the meal, please.
（食後にお願いします）

☐ **meal** [míːl] 名「食事」

④ 支払方法を聞く

A: Can I pay by credit card?
（クレジットカードは使えますか）

B: I'm afraid we don't accept credit cards here.
（あいにく当店ではクレジットカードはご利用になれません）

＊「クレジットカードで支払う」は pay by [with] credit card と言います。credit card の前に冠詞 a を入れても構いません。「現金で支払う」は pay by [with] cash と言います。一緒に覚えておきましょう。

⑤ ギフト用の包装

A: Is this all for today?
（本日はこれだけでしょうか）

B: Yes, can you gift-wrap this, please?
（はい、これをギフト用に包んでもらえますか）

☐ **gift-wrap** [gíftræp] 動「ギフト用に包装する」

UNIT 9 外食・買い物の会話

⑥ 注文の品が違います

A: Excuse me, I think this is wrong.
（すみません、これ違うと思いますが）

B: You didn't order this one?
（これをご注文なさらなかったのですか）

A: No. I ordered a grilled chicken sandwich instead.
（はい。私が注文したのはそれではなくて、グリルチキン・サンドイッチです）

＊ You didn't order this one? に対して、Yes/No の返答を正しくスピーディーに行えるようにしなければなりません。ここでの No. は、No, I didn't. つまり「はい、（それは）注文しませんでした」の意味ですね。

☐ **instead** [instéd]　副「そうではなくて」

⑦ お決まりですか？

A: Are you ready to order?
（ご注文はお決まりでしょうか）

B: Not yet. Could you give us a little more time?
（まだです。もう少し時間をいただけますか）

A: Okay, take your time. I'll be back later.
（かしこまりました。ごゆっくりどうぞ。また後で戻ってきます）

＊ Are you ready to order? の代わりに、May I take your order? と聞かれる場合もあります。Take your time. は「ゆっくりどうぞ、急がなくていいですよ」の意味の決まり文句です。

⑧ 何かお探しですか？

A: May I help you, sir?
（何かお探しですか）

B: Yes, I'm looking for ties.
（はい、ネクタイを探しているんですが）

A: Oh, the men's clothes are over in that section.
（あっ、紳士服はあちらのセクションにございます）

＊「ネクタイ」は、アメリカでは necktie よりも tie の方がよく用いられます。
☐ **men's clothes**「紳士服」

⑨ 返品したい

A: I bought this yesterday but I'd like to return it.
（これを昨日買ったのですが、返品したいと思います）

B: To get a refund, you need to have a receipt.
（払い戻しを受けるためには、領収書が必要となります）

A: Yes, here is my receipt.
（はい、領収書はこれです）

☐ **refund** [rí:fʌnd]　名「払い戻し、返金」
☐ **receipt** [risí:t]　名「領収書、レシート」

UNIT 10 電話での会話
シャドーイング

CD 52

① つないでください

A: Hello, HFL Corporation. May I help you?
（もしもし、HFL コーポレーションです。ご用件は何でございましょうか）

B: Yes, may I have Marketing, please? This is Nicholas Wilson.
（はい、マーケティング部をお願いします。ニコラス・ウィルソンと申します）

＊電話で「〜部をお願いします」と言う場合は、Department（部）という語は省いても結構です。企業の部署名は Marketing（マーケティング部）の他、Accounting（経理部）、Sales（販売部）、General Affairs（総務部）、Human Resources（人事部）、Customer Service（顧客サービス部）など、できるだけたくさん覚えておきましょう。

② 出張中です

A: Hello, I'd like to talk to Mr. Price. This is Andy Cox calling.
（もしもし、プライスさんをお願いしたいのですが。アンディ・コックスと申します）

B: I'm afraid Mr. Price is out of town today.
（あいにくですが、プライスは本日出張に出ております）

＊「出張中である」は、is out of town の代わりに、is on a business trip や is gone on business を用いることも可能です。

相手の声だけが頼りの情報になる電話での会話。正確なリスニング力が要求されます。数詞や固有名詞をまちがいなく聞き取り、シャドーイングしましょう。

③ 伝言を賜ります

A: Would you like to leave a message?
（ご伝言を賜りましょうか）

B: No, that's okay. I'll call again later.
（いいえ、大丈夫です。また後でかけ直します）

＊ Would you like to leave a message? の代わりに、May I take a message? と言うこともできます。また、自分の方から伝言をお願いする時には、May [Can] I leave a message? や Would you take a message? と言えば OK です。

④ 電話が遠いのですが…

A: I can't hear you well. Could you speak a little louder?
（よく聞き取れないんですが。もう少し大きな声で話していただけますか）

B: Hmm, the connection must be bad.
（うーん、接続が悪いせいでしょうね）

＊ I can't hear you well. は「電話が遠いです、声が聞こえにくいのですが」の意味です。

☐ **connection** [kənékʃən] 名「接続、つながり」

⑤ 内線○○番をお願いします

A: May I speak to Mr. Campbell at extension 275?
（内線 275 番のキャンベルさんをお願いできますか）

B: Yes. I'll transfer your call now. Just a moment, please.
（はい、電話を転送いたします。少しお待ちください）

＊ at extension ～（内線～番の）の形で覚えておきましょう。例 Please call me at extension 380.（内線380番の私に電話をしてください）。I'll transfer your call.（電話を転送いたします）の代わりに、I'll put you through. や I'll connect you. を用いることも可能です。

UNIT 10 電話での会話

❻ もう退社しました

A: Is Mr. Cooper off today?
（クーパーさんは今日、お休みですか）

B: No, he's already left for the day.
（いいえ、彼は本日もう帰りました）

A: Oh, I see. Then, I'll call him at home.
（ああ、そうですか。では、自宅の方に電話してみます）

＊ Is Mr. Cooper off today? の off は副詞で「休んで」の意味を表します。He is off today.（彼は今日は休みです）や He is off until next Tuesday.（彼は来週の火曜日まで休みです）のように使います。

❼ 間違い電話

A: Hello, is this Mr. Perry's residence?
（もしもし、ペリーさんのご自宅でしょうか）

B: Nope. You're calling the wrong number.
（いいえ。電話番号を間違っておられますよ）

A: Oh, sorry about that.
（あっ、失礼しました）

＊ Nope は No のくだけた形です。反対に、Yes のくだけた形は Yep です。電話の相手に対して、「電話番号が間違ってますよ」と言いたい場合には、You're calling the wrong number. の他、I'm afraid you have the wrong number. や I think you've got the wrong number. と言うこともできます。

☐ **residence** [rézədəns] 名「住居、住宅」

❽ 別の電話に出ています

A: Mr. Watson is on another line now.
（ワトソンさんは今、別の電話に出ています）

B: Then, could you just tell him Jesse Evans called?
（それでは、ジェシー・エヴァンズから電話があったことだけお伝えいただけますか）

A: Certainly. I'll be sure to.
（かしこまりました。そういたします）

＊「〜は別の電話に出ている」は、〜 is on another line や〜 is on another call で表現します。

❾ 不在中の連絡は？

A: Mr. Young, how can I get in touch with you next week, while you're gone to LA?
（ヤングさん、来週ロスに行っておられる間はどうやって連絡を取ればよろしいでしょうか）

B: You can reach me via cellphone. In case it doesn't work, e-mail is also possible.
（携帯電話でご連絡ください。それがうまくつながらない場合には、電子メールでの連絡も可能です）

A: All right. I'll contact you either way, then.
（わかりました。それでは、いずれかの方法でご連絡いたします）

＊「〜に連絡する」は、get in touch with 〜、reach、contact の3つを一緒にして覚えておきましょう。Los Angeles の頭字語の LA は [èléi] と発音します。英語では決して「ロス」とは発音しないので、そのような覚え方はやめましょう。それこそ学習時間のロスです（笑）。

□ **via** [víːə/váiə] 前「〜によって」(= by)

■ コラム３

日本語のシャドーイングから始めてもいいですよ

英語のシャドーイングに苦戦し、断念しそうになっている人は、**まず日本語でシャドーイング**を行ってみましょう。テレビをつけて、どのチャンネル、どの番組でもよいので、興味のあるものを選んでください。ニュースでもドラマ、時代劇、アニメ…何でもいいですよ。もちろん、ラジオでも構いません。聞こえてくる日本語をスラスラとシャドーイングできるように練習してみましょう。**それに慣れたら、次に英語のシャドーイング**に挑戦です。一度慣れてしまうと、楽しいトレーニングなので、根気よく頑張ってください。

第4部
長文シャドーイング

第4部では、イソップ物語の朗読、各種スピーチ、体験談のスピーチとバラエティーに富んだ英文を用いて、シャドーイングの練習をします。
最初は難しくてうまくついていけないかもしれませんが、練習を繰り返すうちに必ず上達します。
忍耐と期待を持って、練習に励みましょう。

A　イソップ物語　UNIT 1 〜 3

　Aesop's Fables [íːsɑps féiblz] とは、老若男女を問わず、世界中の人が知っている有名な寓話集『イソップ物語』のことです。みなさんも The Ants and the Grasshopper（アリとキリギリス）や The Shepherd Boy and the Wolf（羊飼いの少年とオオカミ）などの話を幼い頃聞いたことがあると思います。

　イソップ物語は、どの話にも必ず教訓（morals, mottos）が含まれています。ここでは、3つの物語を聞きながら、シャドーイングの練習を行います。

UNIT 1　ブヨと雄牛	p.126
UNIT 2　湖畔の雄ジカ	p.130
UNIT 3　天文学者	p.134

B スピーチ　UNIT 4〜8

　比較的短めのスピーチを5つ用いて、シャドーイングの練習を行います。スピーカーの使用する語彙、表現、また話し方にも注意を傾けて聞いてください。フォーマルスピーチとインフォーマルスピーチのスピーチレベルの違いをも学び取ってもらいたいからです。

　スピーチにはその場その場に応じた決まり文句が用いられますので、それらもこの際マスターしておきましょう。

| UNIT 4　新居完成祝いのパーティー……… p.138
| UNIT 5　感謝祭おめでとう……………… p.140
| UNIT 6　ご結婚おめでとう……………… p.142
| UNIT 7　会社の創立記念パーティー…… p.144
| UNIT 8　レセプションへの招待………… p.146

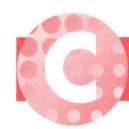

C 体験談　UNIT 9〜10

　アメリカ人2名（男性1名、女性1名）が日本での面白い体験談を聞かせてくれます。彼らが最も驚いた日本の文化的側面に焦点を当てたスピーチです。

　シャドーイングをしながら、ぜひこれらの体験談を味わい楽しんでください。すぐに使える表現がてんこ盛りで、本当に勉強になりますよ。

| UNIT 9　駅での驚くべき体験…………… p.148
| UNIT 10　心地よい音？それとも不愉快な音？… p.154

第4部　長文シャドーイング

UNIT 1 イソップ物語① ブヨと雄牛
The Gnat and the Bull

A Gnat, who had buzzed about until he was tired, landed on the horn of a Bull, who was happily grazing in a meadow.

After resting there for a short time, the Gnat thought he would fly away home. He made a loud buzzing noise, and said to the Bull, "①Would you like to have me stay longer, or ②shall I go now?"

The Bull replied, "③Do as you like. I didn't even notice when you came, and I certainly will not miss you when you've gone."

第4部 長文シャドーイング

語注

- **gnat** [nǽt] 名「ブヨ」
- **bull** [búl] 名「雄牛」
- **buzz about**「ブンブン飛び回る」
- **land on ~**「~の上に留まる」
- **horn** 名「角」
- **graze** [gréiz] 動「生草を食べる」
- **meadow** [médou] 名「牧草地」
- **rest** 動「休息する」
- **fly away home**「家に飛んで帰る」
- **make a loud buzzing noise**「ブンブンと大きな音を立てる」
- **miss** 動「いなくて寂しく思う」

日本語訳

　一匹のブヨが疲れるまでブンブン飛び回っていましたが、やがて雄牛の角の上に留まりました。その雄牛は牧草地の生草を幸せそうに食べていました。

　しばしの間そこに留まった後で、ブヨはそろそろ家に飛んで帰ろうと思いました。彼はブンブンと大きな音を立てて、雄牛に言いました。「あなたは私にもっと長くいて欲しいですか、それとも私はもう帰りましょうか？」

　雄牛は答えました。「お前の好きなようにしろ。俺はお前がいつ来たかも気づかなかったし、お前までが行ってしまっても俺は全く寂しいとは思わないよ」

UNIT 1 イソップ物語① ブヨと雄牛

重要構文

❶ **Would you like to have me stay longer?** は「あなたは私にもっと長くいて欲しいですか」の意味です。〈have ＋ 人 ＋ 動詞の原形〉には、「人に〜させる」と「人に〜してもらう」の2つの意味がありましたね。この英文では使役動詞 have は後者の意味で用いられています。

❷ **shall I go now?** は「もう私は帰りましょうか」の意味です。Shall I 〜？は「〜しましょうか」という申し出や提案を表します。

❸ **Do as you like.** は「好きなようにしなさい」の意味です。この as は接続詞で「〜のように、〜の通りに」の意味です。as you like（お好きなように）は as you please に言い換え可能です。

> **この物語の教訓**
>
> # The smaller the mind the greater the conceit.
> （心が小さければ小さいほど、うぬぼれが大きい）

〈The + 比較級 , the + 比較級〉（〜すればするほどますます…）が用いられていますが、これはイソップの名言としてコンマが省かれた形で定着しています。

UNIT 2 イソップ物語② 湖畔の雄ジカ
The Stag at the Lake

One hot day a thirsty Stag came to a lake to drink, and saw his own reflection in the water.

"①How beautiful my spreading antlers are! But how sad it is that my legs are so thin and ugly!" he said to himself.

Just then a Lion appeared and got ready to attack him. ②The Stag immediately turned and ran away as fast as he could. The lion could not keep up with him.

But when the Stag came to the thick woods, his antlers got caught in the branches. He tried to free himself from the branches, but in vain.

At last the Lion found the Stag, came up to him, and caught him.

語注

- **stag** [stæg] 名「雄ジカ」
- **thirsty** [θə́ːrsti] 形「のどが渇いた」
- **reflection** 名「(水面や鏡などに映る) 姿、像、影」
- **spreading** 形「広がる」
- **antler** [ǽntlər] 名「枝角」
- **thin** [θín] 形「細い、痩せた」
- **ugly** [ʌ́gli] 形「醜い」
- **say to** *oneself*「心の中で思う、ひとり言を言う」
- **get ready to** *do*「～の準備をする」
- **keep up with ～**「～のスピード (ペース) についていく」
- **thick woods**「うっそうと茂った森」
- **branch** [brǽntʃ] 名「枝」
- **free** *oneself* **from ～**「～から抜け出す、脱する」
- **in vain**「無駄に、成果なく」
- **at last**「とうとう、ついに」

日本語訳

ある暑い日のこと、のどが渇いた一匹の雄ジカが水を飲みに湖にやって来て、水面に映っている自分の姿を眺めました。

「俺の広がった枝角はなんて美しいんだろう！ だが、俺の両脚がこんなに細くて醜いことはなんて残念なんだろう！」と彼は思いました。

ちょうどその時、一匹のライオンが現れ、今にも彼に飛びかかろうと身構えました。雄ジカはすぐにくるりと向きを変え、できるだけ速く走って逃げました。ライオンは彼のスピードについていけませんでした。

しかし雄ジカがうっそうと茂った森に来た時、彼の枝角は木の枝に絡みついてしまいました。彼は枝から抜け出そうと試みましたが、無駄でした。

とうとうライオンは雄ジカを見つけ、彼のところまでやって来て、捕えてしまいました。

UNIT 2 イソップ物語② 湖畔の雄ジカ

重要構文

❶ **How beautiful my spreading antlers are!** と **how sad it is that my legs are so thin and ugly!** はどちらも〈How + 形容詞 + S + V!〉の感嘆文です。

❷ **The Stag immediately turned and ran away as fast as he could.** は「雄ジカはすぐにくるりと向きを変え、できるだけ速く走って逃げました」の意味です。as fast as he could は、〈as ～ as S can〉「できるだけ～」の can が過去形（could）で用いられているわけです。

この物語の教訓

What is worth most is often valued least.
(最も価値あるものが最も評価されないことはよくある)

関係代名詞 what（〜するもの／こと）が名詞節を作り、主語になっています。worth most と valued least の2つの語呂の合う句を対照的に用いることにより、リズム感のある文になっていますね。

第4部 長文シャドーイング

UNIT 3 イソップ物語③ 天文学者
The Astronomer

➊An Astronomer used to go out at night to observe the stars. One night, as he was walking about outside the town gates ➋with his whole attention fixed on the sky, he fell into a deep dry well.

While he lamented his bruises, and cried out loudly for help, a neighbor ran to the well and looked down.

➌On learning what had happened, he said, "Hey, my old friend, ➍were you too busy looking up at the stars to watch where you were going? Are the heavens more important than the earth?"

語 注

- **astronomer** [əstrάnəmər] 名「天文学者」
- **go out**「外出する」
- **observe** [əbzə́ːrv] 動「観察する、観測する」
- **town gate**「町の門」
- **attention** 名「注意」
- **fix** 動「注ぐ、向ける」
- **well** 名「井戸」
- **lament** [ləmént] 動「嘆き悲しむ」
- **bruise** [brúːz] 名「打撲、打ち身」
- **cry out loudly**「大きな声で泣き叫ぶ、絶叫する」
- **look down**「見下ろす、のぞき込む」
- **look up at ~**「~を見上げる」
- **the heavens**「天、空」

日本語訳

　ある天文学者が夜になると星を観察するために外出していたものでした。ある夜、彼が自分の全注意を空に注いで郊外を歩き回っていた時に、彼は深い乾いた井戸に落ちてしまいました。

　自分の打撲傷を嘆き、大きな声で助けを求めていると、一人の近所の人が井戸の所まで走ってやって来て、見下ろしました。

　何が起こったのかを知るやいなや、彼は言いました。「おい、お前さん、君は天を見上げるのに忙し過ぎて、自分がどっちを向いて歩いているのか分からなかったのかい？　天空の方が地上よりも大切なのかい？」

第4部　長文シャドーイング

UNIT 3 イソップ物語③ 天文学者

重要構文

❶ **An Astronomer used to go out at night** 〜 の used to は助動詞なので、後ろに動詞の原形が来ます。過去の規則的な習慣を表し、「〜するのが常であった」の意味です。

❷ **with his whole attention fixed on the sky,** の前置詞 with は付帯状況を表しており、「彼の全注意が空に注がれたままで→彼の全注意を空に集中させて」の意味となります。

❸ **On learning what had happened,** は「何が起こったのかを知るやいなや」の意味です。on 〜ing は動名詞を含む慣用表現で、「〜するやいなや、〜するとすぐ」の意味を表します。as soon as と同じ意味です。

❹ **were you too busy looking up at the stars to watch where you were going?** の中の〈too 〜 to ...〉に気がつきましたか。これは不定詞を含む慣用表現で、「〜すぎて…できない」の意味でしたね。よって、「あなたは天を見上げるのに忙し過ぎて、自分がどっちを向いて歩いているのか分からなかったのですか」の意味になるわけです。

この物語の教訓

Don't ignore the things of today.
（目前にあるものを無視してはいけない）

the things of today は直訳すると「今日の事柄」となりますが、ここでは「目前にあるもの」の意味を表します。

UNIT 4　スピーチ① 新居完成祝いのパーティー

🔴 You guys, may I have your attention, please? Well, on behalf of the Bakers, I'd like to express my sincere appreciation to all of you for coming here today to rejoice together with us on the completion of our new house.

Also, ❶special thanks go to those who went out of their way to help with our move. We'd like to share our joy with you because we truly appreciate your friendship.

I think Monica and I have already given a tour to most of you, but ❷if you've missed it, please let us know.

Now we'd like to serve you some refreshments, and I'm sure you will especially enjoy the homemade brownies that Monica and our children made for you. ❸Please help yourself and make yourself comfortable.

語注

- **on behalf of ~**「~を代表して」
- **express** [iksprés] 動「表明する、述べる」
- **sincere** [sinsíər] 形「心からの」
- **appreciation** [əprì:ʃiéiʃən] 名「感謝」
- **rejoice** [ridʒɔ́is] 動「喜ぶ」
- **completion** [kəmplí:ʃən] 名「完成」
- **special thanks**「厚い感謝の意」
- **go out of** *one's* **way to** *do*「わざわざ~する」
- **share A with B**「A を B と分かち合う」
- **friendship** 名「友情」
- **tour** [túər] 名「見学、案内」(= house tour)
- **miss** 動「見逃す」
- **serve** 動「(飲食物を)出す」
- **refreshments** [rifréʃmənts] 名「軽食、スナック」
- **especially** [ispéʃəli] 副「特に、とりわけ」
- **homemade** [hóumméid] 形「自家製の」
- **brownie** [bráuni] 名「ブラウニー」(ナッツ入りのチョコレートケーキ)

日本語訳

皆さん、ちょっと聞いてください。ええ、ベイカー家を代表して、私たちの新居完成を共に祝うために本日ここにお越しいただいた皆さんすべてに心より感謝の気持ちを表したいと思います。

また、特に転居の際にご尽力くださった方々には厚くお礼を申し上げます。私たちは皆さんの友情に心から感謝している故に、私たちの喜びを皆さんと分かち合いたいと思います。

モニカと私とで、すでにほとんどの方々をひとめぐりご案内したかとは思いますが、お見逃しの方がおられましたら、どうぞお知らせください。

さて、それでは軽食を召し上がっていただきましょう。皆さんのためにモニカと子供たちが作った自家製のブラウニーは特にお気に召していただけると思います。どうぞ遠慮なく召しあがってください。そして、ゆっくりとおくつろぎください。

重要構文

❶ **special thanks go to those who went out of their way to ~** の those who は、「(~な)人たち」の意味を表します。

❷ **if you've missed it, please let us know.** は仮定法ではありませんよ。単なる条件を示す直接法です。よって、「もしそれを見逃していたなら、私たちにお知らせください」の意味になります。

❸ **Please help yourself.** は「どうぞご自由に召し上がってください」、**Please make yourself comfortable.** は「どうぞおくつろぎください」(= Please make yourself at home.) の意味です。形が似ているので、しっかりと区別して覚えておきましょう。

第 4 部 長文シャドーイング

UNIT 5 スピーチ② 感謝祭おめでとう

It's quite amazing that fifty-eight people, including my family, are now here in this house. Even though you might be short of some personal space, I hope you are not feeling like sardines.

Well, joking aside, "Happy Thanksgiving" to all of you. We have so much to be thankful for, so let's thank God for providing everything we need.

I consider it a great privilege and a blessing to be able to fellowship with one another this evening. Let us, indeed, count our blessings on this day and express our gratitude to our heavenly Father. Now before our Thanksgiving dinner, let me offer a prayer of thanks. So please, everybody, close your eyes and bow your heads, will you?

語注

- quite 副「とても、非常に」
- amazing [əméiziŋ] 形「驚くべき」
- including [inklúdiŋ] 前「〜を含めて」
- short of 〜「〜が不足して」
- personal space「個人空間」
- like sardines [láik sɑːrdíːnz]「（缶詰の中の）イワシの如く（すし詰めになって）」
- joking aside「冗談はさておき」
- Thanksgiving [θæŋksgíviŋ] 名「感謝祭」
- thankful for 〜「〜のことで感謝している」
- privilege [prívəlidʒ] 名「光栄、栄誉、特権」
- blessing [blésiŋ] 名「神の恵み、祝福、恩恵」
- fellowship with 〜「〜と交わりを持つ、親交を深める」
- one another「お互い」
- indeed 副「本当に」
- count *one's* blessings「自分がどのくらい恵まれているかを考える」
- gratitude [grǽtətjùːd] 名「感謝の気持ち」
- heavenly [hévənli] 形「天の、天国の」
- prayer [préər] 名「祈り」
- bow [báu] 動「下げる、垂れる」

日本語訳

私の家族を含めて 58 人の人が今この家の中にいることは本当に驚きです。個人のスペースがなくて窮屈かもしれませんが、（ぎゅうぎゅう詰めの）缶詰のイワシみたいだなんて思わないでくださいね。

冗談はさておき、皆さん、感謝祭おめでとうございます。私たちには感謝すべきことがたくさんあります。ですから、私たちが必要なものすべてを与えてくださっている神様に感謝いたしましょう。

今宵、お互いに親交を深めることができるのはとても光栄なことであり、神様の恵みだと思います。今日のこの日、私たちはどれほど恵みを受けているのかを本当に考え、天の父なる神に感謝の気持ちを表しましょう。

それでは、感謝祭の夕食の前に感謝のお祈りを捧げさせてください。どうぞ、皆さん、目を閉じ頭を垂れていただけますか。

重要構文

❶ **Even though you might be short of some personal space,** の even though は「たとえ〜だとしても」の意味の従位接続詞で、事実を表します。although/though の強意形です。

❷ **I consider it a great privilege and a blessing to be able to 〜** の it は形式目的語です。it は to 不定詞の部分を代表するわけです。consider の他にも、find や think なども同じ形を取ります。

❸ **close your eyes and bow your heads, will you?** は付加疑問文です。命令文の後に続く付加疑問は、will you? となります。

第 4 部 長文シャドーイング

UNIT 6 スピーチ③ ご結婚おめでとう

Hi, I'm Ryan McLean.

First of all, Joshua and Heather, congratulations on your wedding. This is certainly a most joyous occasion for all of us who dearly love you.

Well, Joshua, Heather and I went to Stanford together. When they started dating, I never thought it would mature into marriage.

❶If asked to share some anecdotes including their secrets, I could go on and on, but that's not what I was asked to do today.

Instead, I was asked to give a toast. So, everyone, may I ask you to stand up and hold up your glasses, please? I'll wait until everyone has their glass ready.

Okay, are you ready? Now please ❷allow me to do the honors and propose a toast to the new couple, Joshua and Heather, and to their endless love. Cheers!

語注

- **congratulations on ～**「～についておめでとう」
- **wedding** 名「結婚式、婚礼」
- **joyous** [dʒɔ́iəs] 形「喜ばしい、嬉しい」
- **occasion** [əkéiʒən] 名「出来事、時」
- **dearly** [díərli] 副「心から」
- **date** [déit] 動「付き合う、デートをする」
- **mature into ～**「～に至る、～へと成長する」
- **anecdote** [ǽnikdòut] 名「逸話、エピソード」
- **go on and on**「長々と述べる、延々と話す」
- **instead** 副「その代わりに」
- **give a toast**「乾杯の音頭を取る」(= propose a toast)
- **stand up**「起立する」
- **hold up ～**「～を持ち上げる」
- **do the honors**「ホスト役(主人役)を務める」
- **endless** 形「永遠の」
- **cheers** [tʃíərz] 間「乾杯」

日本語訳

こんにちは。ライアン・マックリーンと申します。

まず初めに、ジョシュア、ヘザー、ご結婚おめでとうございます。お二人のことを心から愛している私たち皆にとって、これはまさにとても喜ばしい出来事です。

ええ、ジョシュア、ヘザーと私は共にスタンフォード大学に通いました。彼らが付き合い始めた時、まさかそれが結婚にまで進展するとは思ってもみませんでした。

内緒話などを含め、お二人のエピソードを話すようにと言われたら話は尽きませんが、それは今日の私が仰せつかった役目ではございません。

その代わりに、乾杯の音頭(おんど)を取るようにご指名を頂戴しております。それでは皆様、お立ちになりグラスをお取りくださいますでしょうか。皆様方のグラスの準備が整うまでお待ちいたします。

皆様、ご用意はよろしいでしょうか。それでは、せんえつではございますが、新郎新婦、ジョシュアとヘザーの永遠の愛を祝して、乾杯の音頭を取らせていただきます。乾杯！

重要構文

❶ **If asked to share some anecdotes ～**（もし彼らのエピソードについて話すように頼まれれば）は分詞構文です。askedの前に being を補って考えると、分かりやすいと思います。文頭の If は分詞構文の意味を明確にするために付いています。If I am asked to share some anecdotes ～に書き換え可能です。

❷ **allow me to do the honors and propose a toast ～** の〈allow + 人 + to 不定詞〉（人に～するのを許す）の部分に注目してください。to 不定詞が目的語として働いているわけですね。

第4部 長文シャドーイング

UNIT 7　スピーチ④　会社の創立記念パーティー

Ladies and Gentlemen. I'm very pleased tonight that we are celebrating the 50th anniversary of the founding of KCS Corporation.

❶Only a few of us present here were around to see the beginning of our company 50 years ago, and I myself am one of those old-timers.

I was a young man, 22, at the time. Since then, half a century has passed, and KCS Corporation has grown from a fledgling company to a leader in the medical technology industry. ❷I was fortunate enough to be able to have observed its continued progress and prosperity.

Now, without further ado, let's go ahead and begin our dinner with the delicious smelling food in front of us, and enjoy each other's company. Thank you.

語注

- **pleased** 形「喜んでいる」
- **celebrate** [séləbrèit] 動「祝う」
- **anniversary** [æ̀nəvə́ːrsəri] 名「記念日」
- **founding** [fáundiŋ] 名「設立、創立」
- **old-timer** [óuldtáimər] 名「古株、ベテラン」
- **fledgling** [flédʒliŋ] 形「できたばかりの」
- **leader** 名「リーダー、先導者」
- **medical technology**「医療技術」
- **industry** [índəstri] 名「業界、産業」
- **fortunate** [fɔ́ːrtʃənət] 形「幸運な、幸せな」
- **observe** [əbzə́ːrv] 動「見守る、観察する」
- **continued** [kəntínjuːd] 形「継続した、途切れない」
- **progress** [prágres] 名「発展」
- **prosperity** [praspériti] 名「繁栄」
- **without further ado**「余計な話はこれくらいにして」
- **go ahead and ～**「遠慮なく～する」
- **delicious smelling**「おいしそうなにおいがする」
- **enjoy each other's company**「和気あいあいと楽しむ、同席を楽しむ」

日本語訳

皆様、今宵、私たちはKCS社の創立50周年記念をお祝いしておりますことを大変うれしく思います。

ここに出席している人のうち50年前のわが社の創業時を知る者はほんの数名しかおりません。そして、私自身がその古参社員の一人です。

当時私は22歳の若者でした。それから半世紀が過ぎ、KCS社は創業まもない企業から医療技術業界のリーダーへと成長しました。私は幸いにもその不断の発展と繁栄を見守ることができました。

それでは、面倒なご挨拶はここまでにして、目の前に並んだおいしそうな料理を、さあいただきましょう。そして歓談を楽しみましょう。ありがとうございました。

重要構文

❶ Only a few of us present here were around to ～ の present は、形容詞で「出席している」の意味を表します。これは前の名詞（ここでは代名詞 us）を後ろから修飾する形容詞の後位用法です。

❷ I was fortunate enough to be able to ～ には、〈形容詞／副詞 + enough to do〉（～するのに十分な…）が用いられています。これは to 不定詞の副詞的用法の慣用表現です。

UNIT 8 スピーチ⑤ レセプションへの招待

Good morning, everyone. We are very delighted to announce that Ms. Brenda Collins has been appointed to the position of Managing Director of Marriott Corporation.

As you are well aware, Brenda has been with us for the last three years and has made a substantial contribution to the success of our company.

We would like to invite all Marriott employees to a reception in her honor at the Astor Hotel downtown, on Friday, June 3rd at 6 p.m. Brenda's husband Derek and their two children will also be present then.

We need to get an official head count, so please be sure to respond by May 22nd to the e-mail invitation you'll be receiving shortly. We hope you'll all be able to attend this happy gathering. Thank you very much.

語注

- **appoint** [əpɔ́int] 動「任命する」
- **managing director**「常務取締役」
- **well aware**「十分承知して」
- **make a contribution to ～**「～に貢献する」
- **substantial** [səbstǽnʃəl] 形「かなりの、多大な」
- **invite** 動「招待する」
- **reception** 名「レセプション」
- **in** *one's* **honor**「～に敬意を表して、～をたたえて」
- **present** [préznt] 形「出席して、列席して」
- **official** [əfíʃəl] 形「正式な、公式の」
- **head count**「頭数、人数」
- **respond to ～**「～に返事をする、返信する」
- **invitation** 名「招待状」
- **shortly** [ʃɔ́ːrtli] 副「まもなく、すぐに」
- **gathering** [gǽðəriŋ] 名「集まり」

日本語訳

皆様、おはようございます。マリオット社の常務取締役にブレンダ・コリンズさんが任命されたことを喜んでお知らせいたします。

ご存知の通り、ブレンダさんはこの3年間私たちと共に働き、我が社の成功に多大な貢献をしてこられました。

彼女をたたえるレセプションにマリオット社の全社員を招待したいと思います。レセプションはダウンタウンのアスターホテルにて6月3日金曜日午後6時より行われます。ブレンダさんの夫のデレクさんと二人のお子さんも出席の予定です。

正式な出席者数を把握する必要がありますので、皆様にまもなく届く電子メールの招待状に5月22日までに必ず返信していただくようお願い申し上げます。皆様全員がこの祝賀会に出席されますように。どうぞよろしくお願いいたします。

重要構文

❶ **We are very delighted to announce that ～** は「私たちは～を喜んでお知らせいたします」の意味です。スピーチだけでなく、手紙文にも頻繁に出てくるパターンなので、丸覚えしておきましょう。delightedの代わりに、pleased, glad, happy などを用いることも可能です。

❷ **please be sure to respond ～** の〈be sure to *do*〉は「必ず～する」の意味です。

第4部 長文シャドーイング

UNIT 9

体験談① 駅での驚くべき体験
Eye-openers at the Station

Hello, everyone. My name is Brian Turner. I'm from Tucson, Arizona. When asked to describe my first surprising experiences in Japan, I always recall my first few days in Tokyo. Though it was back in 1978, it seems like only yesterday.

Soon after I arrived at Haneda Airport, I took a bus to a downtown hotel in Tokyo. The next day I had to travel by train, so I went to Tokyo Station. That was where I met with a number of surprises.

When I got there, it was rush hour. The station resembled a beehive with hundreds of people flowing in and out of it. I felt completely overwhelmed because I had never seen such a sight before in the U.S., not even in LA or New York.

While I was waiting for my train, I noticed that car numbers were painted on the platform and that the train's arrival time was posted. But I didn't think much about it. Then, a shock came when the train arrived on time and stopped with the cars located precisely as marked on the platform. The train's arrival was to the second.

語注

- **eye-opener** [áiòupənər] 名「目を見張るような経験」
- **describe** [diskráib] 動「述べる、説明する」
- **recall** [rikɔ́:l] 動「思い出す」
- **downtown hotel**「都心のホテル」(downtown は「下町」ではありません！)
- **meet with 〜**「〜に遭う」
- **a number of 〜**「多くの〜、いくつかの〜」
- **rush hour**「ラッシュアワー」
- **resemble** [rizémbl] 動「似ている」
- **beehive** [bí:hàiv] 名「ミツバチの巣箱」
- **flow in and out of 〜**「〜を出入りする」
- **overwhelmed** [òuvərhwélmd] 形「圧倒された」
- **sight** 名「光景」
- **car number**「車両番号」
- **platform** [plǽtfɔ:rm] 名「プラットホーム」
- **arrival time**「到着時刻」(反対は departure time「出発時刻」)
- **post** [póust] 動「掲示する」
- **shock** 名「衝撃、驚き」
- **on time**「定時に」
- **precisely** [prisáisli] 副「正確に、ちょうど」
- **marked** [má:rkt] 形「印の付いた」
- **to the second**「寸分たがわぬ」

日本語訳

みなさん、こんにちは。私の名前はブライアン・ターナーと言います。アリゾナ州のトゥーソン出身です。日本で最初に驚いた体験を話すよう頼まれると、いつも思い出すのが東京での最初の数日間です。それは1978年にさかのぼりますが、まるで昨日のことのように思えます。

羽田空港に到着してすぐに、私はバスに乗り都心のホテルへ向かいました。次の日は電車で出かけなければならなかったので、東京駅に行きました。そこで私はたくさんの驚きに遭遇したのです。

そこに着いた時はラッシュアワーでした。東京駅は何百もの人々が出入りするミツバチの巣箱のようでした。私はすっかり圧倒された感じがしました。アメリカでは、ロサンゼルスやニューヨークでさえ、そのような光景を一度も見たことがなかったからです。

電車を待っている間に、プラットホームには車両番号が描かれ、また電車の到着時刻が掲示されていることに気がつきました。しかし、それについては何とも思っていませんでした。間もなく、電車が定時に到着し、それぞれの車両がプラットホームの印が付いた停車位置にぴったり止まるように停車した時、私は衝撃を受けました。電車は予定時刻に寸分たがわず到着したのです。

UNIT 9 体験談① 駅での驚くべき体験

Another surprising thing about the Japanese railway system was the frequency of the trains. Unlike the U.S. system, the trains came one after another, all on time.

After finishing my business in the suburbs of Tokyo later in the day, I took the train back to Tokyo Station. I began to walk around the shopping area that was part of the station. As I passed by several restaurants, ❸I noticed that each restaurant had what appeared to be displays of the actual food offered on the menus. On closer examination, I realized that these were not food at all. Rather, they were food models or food replicas, carefully fashioned and colored imitations of the actual meals.

I was already starving by that time, so I walked into one of the restaurants. ❹Not knowing how to speak or read Japanese, I had no other choice but to take the waitress outside the restaurant and point to the meal I wanted to order. The display really rescued me from a possible communication disaster.

Japan sure is full of surprises. Thank you for listening.

語注

- **railway system**「鉄道システム」
- **frequency** [fríːkwənsi] 名「本数、回数」
- **unlike** 前「〜とは違って」
- **one after another**「次から次へと」
- **in the suburbs of 〜**「〜の郊外に」
- **pass by 〜**「〜を通り過ぎる」
- **display** [displéi] 名「陳列、展示品」
- **on closer examination**「より注意して調べてみると」
- **rather** 副「それどころか」
- **food model**「食品モデル」（= food replica「食品模型」）
- **carefully fashioned and colored**「入念に形作られ色付けされた」
- **imitation** 名「模造品」
- **starving** [stáːrviŋ] 形「腹ペコの、腹をすかせて」
- **have no other choice but to** *do*「〜するより仕方ない、〜せざるを得ない」（= cannot help *doing*）
- **point to 〜**「〜を指差す」
- **rescue A from B**「A を B から救う」
- **possible** 形「起こり得る」
- **disaster** [dizǽstər] 名「大失敗、惨事」
- **be full of 〜**「〜で一杯である、〜に満ちている」

日本語訳

　日本の鉄道システムについてもう一つ驚いたことは、電車の本数でした。アメリカの鉄道システムとは違って、電車は次から次へとすべて定時にやって来ました。

　その日の午後、東京の郊外で仕事を終えた後、私は電車に乗り東京駅に戻りました。私は駅構内のショッピング街を歩き回り始めました。いくつかレストランを通り過ぎて、私はそれぞれのレストランにメニューに出されている実際の食べ物の展示品のようなものがあることに気がつきました。もっと注意して見てみると、それらは食べ物ではないことが分かりました。それどころか、それらは食品モデルや食品模型と言われるもので、入念に形作られ色付けされた実際の食べ物の模造品だったのです。

　すでにその頃にはお腹が非常に空いていたので、そのうちの一軒のレストランに入りました。日本語の読み書きを知らなかったので、私はウエートレスをレストランの外に連れて行き、注文したい食べ物を指差すより仕方がありませんでした。そのディスプレー（食品モデル）が私を起こり得るコミュニケーションの大失敗から救ってくれたのです。

　日本は本当に驚きに満ちています。ご清聴ありがとうございました。

UNIT 9 体験談① 駅での驚くべき体験

重要構文

❶ When asked to describe ～（～について述べるよう求められると）は分詞構文です。asked の前に being を補って考えると、文の構造がはっきりと見えてきますね。文頭の When は分詞構文の意味を明確にするために付いています。When I am asked to describe ～に書き換え可能です。

❷ stopped with the cars located precisely as marked on the platform. の前置詞 with は付帯状況を表しています。よって、「（電車は）それぞれの車両がプラットホームの印が付いた停止位置にぴったり止まるように停車しました」という意味になります。

❸ **I noticed that each restaurant had what appeared to be displays of the actual food offered on the menus.** の what appeared to be displays of 〜（〜の展示品のように見えるもの）の部分に注目してください。この what は関係代名詞であり、代名詞的用法の「〜するもの／こと」の意味を表しています。よって、「私はそれぞれのレストランがメニューに出されている実際の食べ物の展示品のようなものを持っていることに気づきました」という意味になります。

❹ **Not knowing how to speak or read Japanese,**（日本語の読み書きはできなかったので）は分詞構文です。分詞の否定は、その前に not や never を付けます。

UNIT 10

体験談② 心地よい音？ それとも不愉快な音？
Pleasant or Obnoxious Sound?

Hello, everyone. I'm Lisa Anderson. I'm from St. Paul, Minnesota. The story about my first startling experiences in Japan that I'd like to share with you today goes back about thirty years ago, or more precisely to 1986, when I first came to Japan as a college exchange student.

About a week before the school semester began, I started my stay with a Japanese host family. The family consisted of the parents, their daughter and son.

One night, my host mother made *ramen* for dinner, and served five bowls of *ramen*, one to each person at the table. Then, before I knew it, I heard the loudest slurp in the world! It was the kind of noise that my own mother in America had always told me never to make. Right in front of my eyes everyone was slurping their *ramen*. I was in utter shock. ❶My eyeballs must have been bulging out of my head.

Then, I thought to myself, "Don't these people have any table manners? Didn't I hear that Japanese are very polite people?"

Meanwhile, ❷the *ramen* was so hot that I could barely eat it, much less pick it up with my chopsticks. As it cooled off, I began putting it into my mouth being very careful to eat it quietly and not slurp.

語注

- **pleasant** [plézənt] 形「心地よい」
- **obnoxious** [əbnάkʃəs] 形「とても不快な」
- **startling** [stάːrtliŋ] 形「驚くべき」
- **share A with B**「A を B と分かち合う、A を B に話す」
- **go back to ～**「～にさかのぼる」
- **more precisely**「もっと正確に言えば」
- **college exchange student**「大学の交換留学生」
- **school semester**「学校の学期」
- **host family** [hóust fǽməli]「ホームステイ先」
- **consist of ～**「～から成る」
- **serve** 動「(食事・飲み物を) 出す」
- **bowl** [bóul] 名「丼、鉢」
- **before** *one* **knows it**「あっと言う間に」
- **slurp** [sláːrp] 名「飲み物をすする音」動「音を立ててすする」
- **in utter shock**「唖然として」
- **eyeball** 名「眼球」
- **bulge** [bάldʒ] 動「膨れ上がる、出っ張る」
- **think to** *oneself*「ひそかに考える」
- **table manners**「テーブルマナー」(常に複数形)
- **polite** [pəláit] 形「上品な、礼儀正しい」(反意語は impolite「失礼な」)
- **meanwhile** [míːnhəwàil] 副「一方」
- **barely** [béərli] 副「ほとんど～ない、辛うじて (～する)」
- **much less**「ましてや (～ない)」

日本語訳

　みなさん、こんにちは。私はリサ・アンダーソンと申します。ミネソタ州のセントポール出身です。本日みなさんにお話したいと思っております私の日本で初めての驚くべき体験と言いますのは、約 30 年前のことです。もっと正確に言いますと 1986 年、大学の交換留学生として私が日本に初めて来た時のことです。

　学校の学期が始まる 1 週間ほど前に、私は日本のあるホームステイ先に滞在を始めました。その家族には両親と娘さん、息子さんがいました。

　ある夜、ホームステイ先のお母さんが夕食にラーメンを作り、5 杯のラーメンを出してくれました。テーブルについていた一人一人に 1 杯ずつでした。それからあっと言う間に、私はこの世で一番大きなズルズルという音を聞いたのです！ それはアメリカにいる私の母から絶対に立ててはいけないといつも言われていた種類の音でした。私の目の前でみんなが音を立ててラーメンをズルズルすすっていました。私は全く呆然としました。私の目はまさにどんぐり眼であったに違いありません。

　それから私は心の中で思いました。「この人たちにはテーブルマナーなどないの？ 日本人はとても礼儀正しい人たちだって聞いていたんじゃなかったっけ？」

　一方、ラーメンは非常に熱かったので私はほとんど食べることができませんでしたし、ましてや箸で持ち上げることもできませんでした。ラーメンが冷めてから、私は静かに音を立てずに食べようと注意してそれを口に入れ始めました。

UNIT 10 体験談② 心地よい音？ それとも不愉快な音？

Later that night, I don't know why, but my host father spoke to me in English saying "You know, Lisa, it's quite normal for Japanese to slurp their noodles. It makes us feel the food is good when we make that sound."

Another difference I noticed in Japan was that people rarely blew their noses in public. Whenever my nose was stuffed up, I would blow to my heart's content, yet I hardly ever saw anyone else doing that. Occasionally, I saw people sniffling, but almost never blowing. Later, I heard that ③people in Japan generally find it impolite to blow their noses in public, and furthermore, sniffling is considered much better.

How can this be? The same people who think slurping their *ramen* makes it taste better, are afraid to blow their noses when they have to.

As long as I'm talking about sounds, ④I might as well mention burping too. I also noticed that some people burp after eating but never say "Excuse me." I don't know why this is so. In the land of all the "Sumimasens," why don't people apologize for belching?

Well, after all, what I have learned is that it's not a matter of what sounds are deemed good or bad, but that it all comes down to differences in cultural perspectives.

Isn't that interesting? Thank you very much.

語注

- □ **pick up ~**「~を持ち上げる」
- □ **chopstick** [tʃǽpstik] 名「箸」（通例複数形で用いる）
- □ **cool off**「冷める」
- □ **rarely** [réərli] 副「めったに~ない」
- □ **blow** *one's* **nose**「鼻をかむ」
- □ **in public**「人前で」
- □ **stuffed up**「（鼻などが）詰まって」
- □ **to** *one's* **heart's content**「思う存分、思い切り」
- □ **hardly ever**「ほとんど~ない」（ever は否定の意味を強調）
- □ **occasionally** [əkéiʒənəli] 副「時たま、時折」
- □ **sniffle** [snífl] 動「鼻をすする、鼻をグズグズさせる」
- □ **furthermore** [fə́ːrðərmɔ̀ːr] 副「さらに、その上」
- □ **consider** 動「見なす、考える」
- □ **as long as ~**「~する限り、~する以上は」
- □ **might as well**「~した方がよさそうだ」
- □ **burping** [bə́ːrpiŋ] 名「げっぷ」（= belching [béltʃiŋ]）
- □ **burp** [bə́ːrp] 動「げっぷをする」
- □ **apologize** [əpálədʒàiz] 動「謝る、わびる」
- □ **deem** [díːm] 動「見なす、判断する」
- □ **it comes down to ~**「結局~ということである」（all は「まさに、もっぱら」という強調の意味の副詞）
- □ **cultural perspective(s)**「異文化の視点、文化的観点」

日本語訳

その夜遅くに、なぜだか分かりませんが、ホームステイ先のお父さんが英語でこう話しかけました。「あのね、リサ、日本人にとって音を立てて麺をすするのは至って当たり前のことなんだ。そのような音を立てることで、食べ物（麺）が美味しく感じられるのさ」

日本で気がついたもう一つの違いはと言いますと、それは人々がめったに人前で鼻をかまないということでした。私は鼻が詰まった時はいつでも思い切り鼻をかんでいましたが、そうしている人は他にめったに見かけませんでした。時折人々が鼻をすするのを見かけましたが、鼻をかんでいるのを見たことはほとんどありませんでした。後に、私は日本の人々は一般的に人前で鼻をかむことを失礼なことだと思っていて、しかも、鼻をすするほうがずっとましだと考えられているということを聞きました。

これはいったいどういうことなのでしょう？音を立ててラーメンをすすると美味しくなると思っている人々が必要な時に鼻をかむことを尻込みしているのです。

音に関してお話ししている以上、げっぷについても触れておく方がよいでしょう。食後にげっぷをしても「すみません」と一切言わない人がいるということにも、私は気がつきました。なぜそうなのかは分かりません。万事「すみません」の国にあって、なぜげっぷについては謝らないのでしょうか。

まあ、結局、私が学んだのはどんな音が良くてどんな音が悪いと見なされるのかということではなく、それは詰まるところ文化的観点の違いだということです。

面白いと思いませんか。どうもありがとうございました。

UNIT 10 体験談② 心地よい音？ それとも不愉快な音？

重要構文

❶ My eyeballs must have been bulging out of my head. の〈must have + 過去分詞〉は「〜したに違いない」の意味です。よって、「私の目は頭から飛び出しそうになっていたに違いない→私の目はまさにどんぐり眼(まなこ)であったに違いない」という意味になります。

❷ the *ramen* was so hot that I could barely eat it, much less pick it up with my chopsticks.（ラーメンは非常に熱かったので私はほとんど食べることができませんでしたし、ましてや箸(はし)で持ち上げることもできませんでした）のコンマの前にある〈so ... that 〜〉は「非常に…なので〜」の意味でしたね。コンマ直後の much less（= still less）は否定文に続けて、「ましてや〜ない」の意味を表します。準否定語の barely（ほとんど〜ない）が否定文を作っているわけです。反対に、前に肯定文がある場合は、much more（= still more）「なおさら〜だ」を用います。

❸ **people in Japan generally find it impolite to blow their noses in public,** の find it impolite to blow の部分に注目してください。この it は形式目的語であり、後続の to 不定詞（to blow ～）を代表します。よって、「日本の人は一般的に人前で鼻をかむことを失礼なことと思っています」という意味になります。

❹ **I might as well mention burping too.**（私はここでげっぷについても触れておく方がよいでしょう）の〈might as well〉は「～した方がよさそうだ、～してもよいだろう」（= may as well）の意味を表す助動詞です。よって、直後には必ず動詞の原形が来ます。

■ コラム4

スクリプトを見ないで
シャドーイングをしましょう

最初からスクリプトを見ながらシャドーイングしても、あまり効果は期待できません。**スクリプトを見ないで、何度も繰り返しシャドーイングの練習を行い、スクリプトは最後の最後にチェック**し、聞き取れなかった音や、文の内容、語彙、表現などをチェックしてから、最後にもう一度シャドーイングで締めくくってみましょう。できれば自分の声を録音してみましょう。録音された自分の声を聞き返すことで出来不出来がよく分かりますし、スクリプトと照らし合わせることで、弱点もはっきりと見えてきます。

第5部 VOA生録英語シャドーイング

ついに最後の第5部に突入です。
VOAはThe Voice of Americaの略で、
アメリカ合衆国政府が公式に運営する
国営短波ラジオ放送局です。
国際的な放送でよく知られています。
そのVOAのニュース番組を2つ用いて、
シャドーイングの練習を行います。
それでは、最後の特訓のスタートです。

UNIT 1 アメリカ東海岸を襲った大雪
Heavy Snow Hits East Coast, USA

From Washington, this is VOA news. I'm David Byrd reporting. ❶A massive winter storm continues to lash the U.S. East Coast, shutting down all non-emergency travel in New York City.

❷Mayor Bill de Blasio said at a news conference the storm has exceeded expectations and residents need to be prepared for historic amounts of snow.

"❸At this point of the day, one to two inches per hour should be assumed, which is a very fast accumulation. We're even hearing estimates now of one to three inches per hour."

語注

- **massive** [mæsiv]
  形「激しい、ひどい」
- **storm** [stɔ́ːrm]
  名「嵐」
- **lash** [lǽʃ]
  動「(風・雨などが) 吹きつける、打ちつける」
- **shut down ~**
  「~を閉鎖する」
- **non-emergency** [nànimə́ːrdʒənsi]
  形「非緊急の」
- **news conference**
  「記者会見」
- **exceed** [iksíːd]
  動「超える」
- **expectation** [èkspektéiʃən] 名「予想」
- **resident** [rézədənt]
  名「住民、居住者」
- **historic** [histɔ́ːrik]
  形「歴史に残る、歴史上に記録される」
- **per** [pər] 前「~につき」
- **assume** [əsúːm]
  動「推測する、見込む」
- **accumulation** [əkjùːmjuléiʃən]
  名「積もること (この場合は積雪)」
- **estimate** [éstəmèit]
  名「見積もり、推定」

日本語訳

　ワシントンから、VOAニュースをお届けします。お伝えしているのは私、デイヴィッド・バードです。激しい吹雪が依然としてアメリカ東海岸を襲っており、ニューヨーク市の緊急車両以外の交通機関はすべて閉鎖に追い込まれています。

　ビル・デ・ブラジオ市長は記者会見で、嵐は予測を超えており、住民は記録的な降雪量に備える必要があると述べました。

　「現時点では1時間に1、2インチの降雪と見込まれており、これは非常に早い積雪となります。今1時間に1〜3インチほどの降雪になるという予測も入ってきています」

第5部 VOA生録英語シャドーイング

UNIT 1 VOA News アメリカ東海岸を襲った大雪

De Blasio added that people who do not get off the roads could face arrest.

The city has stopped all bus service and all bridges and tunnels are closed. ❹Underground subways are still running but those above ground have been suspended.

A massive winter storm impacted the mid-Atlantic and northeast regions ❺with nearly 60 centimeters of snow, blanketing Washington DC. Up to 85 million people are in the storm's path and hundreds of thousands are without power.

Source : voanews. com

語注

- **add** [ǽd] 動「言葉を付け加える、言い足す」
- **get off ~**「~から離れる」
- **face** [féis] 動「直面する」
- **arrest** [ərést] 名「逮捕」
- **tunnel** [tʌ́nl] 名「トンネル」
- **underground** [ʌ́ndərgràund] 形「地下の」
- **subway** [sʌ́bwèi] 名「地下鉄」
- **suspend** [səspénd] 動「一時停止する」
- **impact** [ímpækt] 動「影響を与える」
- **mid-Atlantic** [mìdætlǽntik] 形「中部太平洋沿岸の」
- **nearly** [níərli] 副「ほぼ、大体」
- **centimeter** [séntəmìːtər] 名「センチ」
- **blanket** [blǽŋkit] 動「覆う」
- **up to ~**「最大~まで」
- **path** [pǽθ] 名「進路、方向」
- **power** [páuər] 名「電力」

日本語訳

デ・ブラジオ市長は、道路から立ち退かない場合には逮捕もあり得るとも述べました。

同市では、すべてのバスの運行を休止し、すべての橋とトンネルが閉鎖されています。地下鉄はまだ運行していますが、地上の鉄道は運転を見合わせています。

大規模な吹雪によって、中部大西洋沿岸地域と北東部は約60センチの降雪量による影響を受け、ワシントンDCも雪に覆われています。吹雪の進路には最大8500万人がおり、何十万人もの住民が停電に見舞われています。

UNIT 1　VOA News アメリカ東海岸を襲った大雪

重要構文

❶ **A massive winter storm continues to lash the U.S. East Coast, shutting down all non-emergency travel in New York.** の shutting は分詞構文です。この例は付帯状況を表すもので、動作や出来事が続いて起こる場合に用いられます。「〜して、そして」の意味で使われているので、shutting down 〜の部分は、and shut down 〜と書き換えることが可能です。

❷ **Mayor Bill de Blasio said at a news conference 〜** と続く文ですが、the storm の前に that が省略されていると考えると、文の構造がはっきりと見えます。the storm has exceeded expectations and residents need to be prepared for historic amounts of snow までが、すべて said の目的語の that 節となっているわけです。

❸ **At this point of the day, one to two inches per hour should be assumed, which is a very fast accumulation.** の which も、関係代名詞 which の非制限用法です。直前の one to two inches per hour should be assumed の内容を先行詞としています。

❹ **Underground subways are still running but those above ground have been suspended.** の指示代名詞 those は、名詞の繰り返しを避けるために用いられています。この文での those は subways のことを指しているので、that ではなく複数形の those になっています。ニューヨーク市地下鉄（subways）の多くの区間は地下を走っていますが、区間によっては地上を走っています。

❺ **with nearly 60 centimeters of snow, blanketing Washington DC.** の blanketing も①と全く同じ使い方の分詞構文で、and blanketed Washington DC. と書き換えることができます。

UNIT 2 高齢化する世界人口は未来の若者に難題を突きつける
Aging World Population Presents Challenge For Future Young

The United Nations estimates that about one out of every 10 people on the planet today is at least 60 years old. By 2050, it's projected to be one out of five, which means that not only will there be more old people, but there will be relatively fewer young people to support them.

Demographer Richard Lee of the University of California at Berkley says this aging of the world has a significant impact on economies. "Population aging increases the concentration of population in the older ages and therefore it is costly."

Aging populations consume more and produce less. With more people living longer, it could get expensive. But Mr. Lee says with continuing increases in worker productivity and smart planning, it can be manageable.

語注

- **United Nations**〈the ~〉「国際連合」
- **estimate** [éstəmèit] 動「見積もる、推定する」
- **planet** 名「惑星、世界（地球全体）」
- **project** [prədʒékt] 動「予想する、推定する」
- **relatively** [rélətivli] 副「相対的に、比較的に」
- **support** 動「支える」
- **demographer** [dimágrəfər] 名「人口統計学者」
- **aging** 名「高齢化」
- **significant** [signífikənt] 形「重大な、深刻な」
- **impact** [ímpækt] 名「影響」
- **economy** 名「経済」
- **population aging**「人口高齢化」
- **concentration** [kànsəntréiʃən] 名「集中」
- **costly** [kɔ́:stli] 形「費用のかかる」
- **consume** [kənsú:m] 動「消費する」
- **worker productivity**「労働者の生産性」
- **smart** 形「賢明な」
- **manageable** [mǽnidʒəbl] 形「対処できる、管理できる」

日本語訳

国際連合の推計によると、今日地球上の約10人に1人が60歳以上とのことです。2050年までには、5人に1人がそうなると予測されます。それは、老人が多くなることだけでなく、彼らを支える若者が相対的に少なくなることも意味します。

カリフォルニア大学バークレー校の人口統計学者リチャード・リー氏は、世界のこの高齢化は経済に重大な影響を及ぼすと言います。「人口高齢化は高齢者層への人口の集中を増進し、その結果費用がかさむことになります」

高齢化する人口はより多く消費し、より少なく生産します。より多くの人々が寿命を伸ばせば、お金もたくさんかかるでしょう。しかし、労働者の生産性の持続的な促進と賢明な計画があれば対処できる、とリー氏は言います。

UNIT 2 高齢化する世界人口は未来の若者に難題を突きつける

Societies have different methods for caring for the elderly, but each carries a cost. Generally, there are three types of support. Seniors can live off the wealth they accumulated when they were younger. They can rely on their family to take care of them, or they can rely on the government.

In industrialized nations, governments created publicly-funded support systems. ❸These worked relatively well until recent years, when aging population growth in places like the United States and Western Europe began to undermine the systems' finances. These nations now face some tough choices. ❹Mr. Lee says the elderly in some of these countries must either receive less money, retire later or increase taxes to make the system sustainable.

Source : voanews. com

語 注

- **method** 名「方法」
- **care for ~**「~の面倒を見る」
- **elderly** [éldərli] 形「《the ~》高齢者」
- **senior** 名「高齢者」
- **live off ~**「~で生計を立てる」
- **wealth** 名「財産、金」
- **accumulate** [əkjúːmjulèit] 動「貯める、蓄積する」
- **rely on ~**「~に頼る」
- **take care of ~**「~の世話をする」
- **government** 名「政府」
- **industrialized nation** [indʌ́striəlaizd néiʃən]「先進工業国」
- **publicly-funded**「公的資金を受けた」
- **support system**「支援体制」
- **undermine** [ʌ̀ndərmáin] 動「むしばむ、弱体化させる」
- **finance** [fáinæns] 名「財政」
- **face** 動「直面する」
- **tough choice**「厳しい選択」
- **either A or B**「AかBのどちらか」
- **retire** 動「退職する」
- **tax** 名「税、税金」
- **sustainable** [səstéinəbl] 形「持続可能な、継続可能な」

日本語訳

社会は高齢者の面倒を見る種々の方法を持っていますが、どれも費用がかかります。一般的に、支援のタイプは三つあります。高齢者は自分が若い頃に蓄えたお金で暮らしていくことができます。家族に頼って面倒を見てもらうこともできますし、あるいは政府に頼ることもできます。

先進工業国では、政府は公的資金による支援体制を構築しました。これらは近年までは比較的うまく機能していましたが、アメリカ合衆国や西欧のような場所で高齢者人口の増大がその体制の財政をむしばみ始めたのです。これらの国家は今厳しい選択に直面しています。これらの国の一部では、体制を持続するためには高齢者は受給する金額を減らすか、退職時期を遅らせるか、または増税をしなくてはならない、とリー氏は言います。

UNIT 2 高齢化する世界人口は未来の若者に難題を突きつける

重要構文

❶ out of five, which means that not only will there be more old people, but there will be ～ の which は、関係代名詞 which の非制限用法です。which は前文の内容を先行詞としています。また、means の後の that 節中には、not only A but (also) B「A だけでなく B も」（この英文では also が省略されています）が用いられています。ここで注目すべきことは、not only will there be ～ と倒置が生じていることです。not only という否定の副詞語句が文頭に来ているため、強調のための倒置が起きているわけです。

❷ With more people living longer,（より多くの人々が寿命を伸ばせば）は〈with ＋ 独立分詞構文〉の形で「付帯状況」を表しています。

❸ **These worked relatively well until recent years, when aging population growth 〜** の when は関係副詞の非制限用法です。and then（そしてそれから）の意味で解釈するとよいでしょう。

❹ **Mr. Lee says the elderly in some of these countries must either receive less money, retire later or increase taxes to make the system sustainable.** の must の後には、〈either A or B〉（A か B のどちらか）が使われています。ここでは、A に相当するのが receive less money, retire later、B に相当するのが increase taxes です。

[CDのイントロダクション] CD2

CDのイントロダクション、シャドーイングの練習例の
スクリプトおよび和訳です。Track 2 に対応しています。

●英文スクリプト

Hi, everyone. I'm Howard Colefield. And I'm Helen Morrison. As narrators for this CD, we are very happy to be part of your English studies.

Before you start practicing "shadowing" with this book, let us demonstrate some examples to help you understand how to shadow spoken words and sentences properly.

Look at the five examples on page 11 in your book. For each example, I will read it first, and Helen will shadow it. All right? Please listen carefully.

Example

(1) roof, chimney, porch, garage, driveway
    .... roof, chimney, porch, garage, driveway
(2) catalog, brochure, leaflet, price list, free sample
    .... catalog, brochure, leaflet, price list, free sample
(3) Will we know the result of the test in a few weeks?
    .... Will we know the result of the test in a few weeks?
(4) Today's technology has made it possible for people to work from virtually anywhere.
    .... Today's technology has made it possible for people to work from virtually anywhere.
(5) Please feel free to ask me anything. I'll be delighted to be of some help to you.
    .... Please feel free to ask me anything. I'll be delighted to be of some help to you.

Did you get the point? In the same way, you'll get to practice shadowing on your own.

Maybe in the beginning some of you might feel this kind of practice is very difficult. But we assure you that the more you practice, the better you'll get. So, hang in there. You'll definitely make it.

Are you ready to practice shadowing? Great. Now let's get started.

●和訳

　みなさん、こんにちは。私はハワード・コールフィールドです。私はヘレン・モリソンです。このCDのナレーターとして、みなさんの英語学習に立ち会えることになり大変嬉しく思います。

　この本を用いて「シャドーイング」の練習をスタートする前に、話される単語や文をきちんとシャドーイングする方法をみなさんに理解してもらう手助けとして、いくつかの例を挙げて実演してみましょう。

　本書11ページの5つの例を見てください。それぞれの例について、私が最初に読み、ヘレンさんがそれをシャドーイングします。よろしいですか。注意して聞いてください。

例題
(1) 屋根、煙突、ベランダ、車庫、私設道
(2) カタログ、冊子、チラシ、価格表、試供品
(3) 私たちは試験の結果が2、3週間で分かるのですか。
(4) 今日のテクノロジーのおかげで、人々は事実上どこからでも仕事ができるようになりました。
(5) 何でも遠慮なく私に聞いてください。少しでもお役に立てれば何よりです。

　要領がつかめましたか。同じやり方で、みなさんはこれから自分の力でシャドーイングの練習を行います。

　もしかすると、みなさんの中にはこの種の練習は非常に難しいと感じる人がいらっしゃるかもしれません。しかし、練習すればするほど、上手になりますので、どうぞご安心ください。ですから、あきらめずに頑張りましょう。必ず上手くなるはずです。

　みなさん、シャドーイング練習の準備はできていますか。大丈夫ですね。さあ、始めましょう。

●著者略歴
宮野智靖　Miyano Tomoyasu

広島県生まれ。ペンシルベニア州立大学大学院スピーチ・コミュニケーション学科修士課程修了（M.A.）。現在、関西外国語大学短期大学部教授。

主要著書：『みんなの英文法マン』『すぐに使える英会話ミニフレーズ2500』『ネイティブ厳選必ず使える英会話まる覚え』（以上、Jリサーチ出版）、『はじめての TOEIC® LISTENING AND READING テスト本番模試［改訂版］』『TOEIC® テスト予想模試』（以上、旺文社）、『TOEIC® TEST 究極単語 Basic 2200』『新 TOEIC® TEST リーディング完全攻略』（以上、語研）、『TOEIC テストはじめて覚える英単語と英熟語』（ダイヤモンド社）、『新 TOEIC® テスト文法問題は20秒で解ける！』（アスク出版）。

主要取得資格：TOEIC990点満点、英検1級、通訳案内業国家資格。

ご意見・ご感想は下記のURLまでお寄せください http://www.jresearch.co.jp/kansou/	
カバーデザイン	滝デザイン事務所
本文レイアウト・DTP	株式会社 群企画
カバー・本文イラスト	池上真澄
執筆協力	Joseph Ruelius
CD・ナレーション	Helen Morrison
	Andree Dufleit
	Howard Colefield
モデル	Elina Garone

新ゼロからスタート　シャドーイング　入門編

平成29年（2017年）4月10日　初版第1刷発行

著　者	宮野 智靖
発行人	福田 富与
発行所	有限会社　Jリサーチ出版 〒166-0002　東京都杉並区高円寺北2-29-14-705 電話　03(6808)8801(代)　FAX　03(5364)5310 編集部　03(6808)8806 http://www.jresearch.co.jp Twitter 公式アカウント　@Jresearch_ https://twitter.com/Jresearch_
印刷所	㈱シナノパブリッシングプレス

ISBN978-4-86392-340-9　禁無断転載。なお、乱丁・落丁はお取り替えいたします。
©Tomoyasu Miyano, 2017 All rights reserved.